A camareira

Markus Orths

A camareira

Tradução de Mário Luiz Frungillo

L&PM EDITORES

Texto de acordo com a nova ortografia
Título original: *Das Zimmermädchen*

Tradução: Mário Luiz Frungillo
Capa: María Antonia Pérez. *Ilustração*: © Buyenlarge / Getty Images
Preparação: Jó Saldanha
Revisão: Patrícia Rocha

CIP-Brasil. Catalogação-na-Fonte
Sindicato Nacional dos Editores de Livros, RJ

O88c

Orths, Markus, 1969-
A camareira / Markus Orths; tradução de Mário Luiz Frungillo. – Porto Alegre, RS: L&PM, 2010.
136p.

Tradução de: *Das Zimmermädchen*
ISBN 978-85-254-2097-8

1. Romance alemão. I. Frungillo, Mário Luiz. II. Título.

10-5744. CDD: 833
CDU: 821.112.2-3

Rua Comendador Coruja 314, loja 9 – Floresta – 90220-180
Porto Alegre – RS – Brasil / Fone: 51.3225.5777 – Fax: 51.3221.5380

Pedidos & Depto. comercial: vendas@lpm.com.br
Fale conosco: info@lpm.com.br
www.lpm.com.br

Impresso no Brasil
Primavera de 2010

1

Abriu a porta e deu o último passo. Mais uma vez ela para, vira-se, e uma rajada de vento sopra cabelos no rosto. O edifício lá está, opressivo apesar da fachada de vidro. Tanto vidro, pensou Lynn há seis meses, quando viu o edifício pela primeira vez, tanto vidro, e essas silhuetas de pássaros coladas nele: por que não paredes, pedra, concreto? Ou grades? O ponto de ônibus não é longe dali. Um táxi seria caro demais. E agora? Ela sabe para onde e não sabe. Sabe o que deve ser feito e não sabe. Segue o caminho prescrito. Põe a mochila nos ombros, no ponto de ônibus tem que se sentar na ponta do banco, caso contrário o espaço às suas costas não seria suficiente. Olha para seus tênis, puídos, ergue os olhos, no ponto de ônibus pessoas que ela não conhece estão à espera. Um homem suga vez por outra seu cigarro. Outro anda de cá para lá em passo de gangorra. Uma velha estuda os itinerários no quadro de vidro usando o dedo como auxiliar de leitura. Nos pontos de ônibus Lynn gostava de jogar seu joguinho: como seria se? Imaginou: como seria, se ninguém me notasse? Se as pessoas não vissem ao redor de mim, vissem através de mim. Como se eu não existisse. Seria ao mesmo tempo belo e horripilante. Se ninguém me vê, eu não estou mais obrigada a nada, se ninguém me vê, eu me desfaço numa solução de paz e vivo como que sob a água. Mas, se ninguém me vê, eu também não sou mais nada, mais ninguém, apenas espírito, não, nada de espírito, apenas um punhado de ar que não pode mais nem mesmo soprar, condenado à paralisia.

Quando o ônibus chega ela se levanta, sua mochila arranha a parede do ponto de ônibus, um ruído quase imperceptível. Sempre esse cheiro de vômito nos ônibus. Está impregnado nos assentos. Não se pode mais removê-lo. O ônibus acelera, uma estrada, a curva pesa no estômago de Lynn. Na frente dela, à direita, alguém lê um jornal. De minuto em minuto, vira uma folha, juntando as mãos diante do nariz. Sem o jornal pareceria um exercício de ginástica. Ele não pode ler tão rápido, pensa Lynn, de jeito nenhum.

Lynn não põe as mãos num jornal há anos, tão grande é seu nojo do negrume da tinta. Pouco a pouco, à medida que o ônibus se aproxima da cidade, ela vai ficando inquieta. Um homem sentado quatro fileiras à sua frente bebe uma latinha de cerveja e de repente, sem motivo algum, faz o sinal da vitória. Mas Lynn não consegue se distrair. Aproxima-se o momento em que terá de se levantar e descer do ônibus e sair da estação rodoviária para a rua e então virar mais uma vez na esquina e abrir a porta do prédio e subir as escadas, abrir a porta e entrar no apartamento onde não esteve durante seis meses. Estará escuro no apartamento. Escuro e frio. As janelas de enrolar estarão baixadas. Este fora seu último ato antes de sair: fechar as janelas. O apartamento estará cheirando a mofo. Estará cheirando a poeira. A plantas secas. Lynn vai espirrar. Talvez haja um inseto morto no parapeito da janela.

O ônibus vira na Remigiusstrasse, passa ao lado da igreja. Todo domingo o ribombar dos sinos. Agora o ônibus freia, geme, Lynn se levanta e vai para a porta, o ônibus faz uma genuflexão para o lado enquanto as portas se abrem com um estalar de língua, Lynn está fora, o sol brilha como um holofote exatamente no ponto em que ela se encontra, o resto é coberto pela sombra das árvores. Lynn logo se põe a andar, observando com o canto dos olhos uma menininha que atira uma pedra em uns quadrados desenhados de modo a formar uma cruz, pula em uma perna só e cata a pedra no chão. Longos cabelos negros escorrem pelo rosto da menina. Então casa número 7, degraus, chave, primeiro andar, segundo, terceiro, quarto, sua porta na água-furtada, Lynn abre, e tudo está como ela imaginava. Mas Lynn não hesita. Um lado seu, que ela conhece bem e aprecia, desperta. Lynn suspende as persianas com estrondo, abre os vidros, deixa o ar entrar e limpa, trabalha sem descanso, aspira, espana, esfrega o chão, fica de joelhos, se deita no chão, enfia o espanador nos cantos, sobe em cadeiras, espana superfícies altas, faz a flanela chiar sobre o vidro, traz água espumante do banheiro para a sala e leva água suja de volta, arrasta sacos de lixo com plantas mortas para o andar de baixo, enfia-os em contêineres, vai para a cabine telefônica, pede uma pizza, extermina a pizza, faminta, deixa-se cair na poltrona, acende um cigarro, solta baforadas, da poltrona contempla sua obra.

Lynn não aguenta por muito tempo o novo repouso, tem de continuar *agindo*, ainda há uma infinidade de coisas a fazer, ela sabe muito bem que nada mudou desde sua estada na clínica, sabe muito bem como é importante ter uma tarefa e que corre o risco de sofrer uma recaída se não fizer nada, se ficar ao léu, se o excesso de tempo livre levá-la à reflexão e a reflexão levá-la ao sentimento do absurdo e o sentimento do absurdo à busca de excitação e a busca de excitação ao proibido, até que ela não tenha escolha senão parar de resistir e ir de encontro ao proibido. Ela precisa continuar se refugiando na ação, sai do apartamento, escadas abaixo, não tirou o tênis durante a faxina, o calor nos pés começa a incomodar, Lynn anda depressa. E se o mundo lá fora, pensava Lynn ontem, quando ainda estava na clínica, e se o mundo lá fora de novo se apossar de mim, se ele me sugar e engolir como sempre fez? Será que alguma coisa mudou? Ou tudo continua como meio ano atrás? Meio ano? Como se o ano fosse dividido ao meio, pensa Lynn. Com um machadinho. Meio porco, meio ano. Ambos sangram quando os partimos ao meio. Eu também sangro quando penso nisso, no meio ano, entenderam tudo errado, principalmente *me* entenderam errado, como paciente eu sou apenas um prontuário ambulante, não me ouvem, a origem de tudo é que não me ouvem, e se digo alguma coisa que não cabe no prontuário, significa apenas que a senhora não quer admitir, a senhora quer reprimir, a senhora não quer tomar posição, a senhora tem de aguçar a vista, não é nada grave, nós trataremos de curar isso, isso tem um nome, a senhora tem de reconhecer isso, tem de assumir, aceitar, e eu digo, não há nada que aceitar, é tudo muito diferente do que os senhores pensam, mas eles apenas inclinam a cabeça, sérios, e fazem uma anotação, provavelmente: resistência. Mas eu desisti dela, da resistência, não adianta resistir ao que querem ver em mim, a resistência racha, rui, a resistência perde o posto, não se sustém mais, é levada ao chão, se atira ao chão, a resistência está caída no chão.

Agora o extrato da conta. Lynn está no banco, pega o cartão, insere na máquina, 1.006,56 negativos. Zero disponível. Sem trabalho, sem dinheiro, não quer recorrer à mãe, que já paga o aluguel. Apesar disso, vai até a cabine telefônica.

– Voltei pra casa.

– Que bom que você ligou – diz a mãe.

– É.

– Como você está, quer dizer, o que...

– Bem, estou bem.

– Precisa de alguma coisa?

– Não, nada.

– Vem me visitar?

– É longe, não sei, primeiro preciso me readaptar, procurar trabalho.

– Precisa de dinheiro?

– Não, não.

– Consegue se virar?

– E você? Tudo em ordem?

– Estou bem, na medida do possível.

– E o jardim?

– Sim, vou começar agora.

– Olha, eu preciso desligar, não tenho mais moedas.

– O que há com seu telefone?

– Logo volta a funcionar.

– Pode dizer sem medo se...

– Não, mãe, logo tudo se ajeita. Eu ligo na quinta.

– Tudo certo.

– Tudo certo.

Sempre esse tudo certo, pensa Lynn, e desliga. Que quer dizer tudo certo? Deveria ser tudo *de bom*, a mãe diz sempre tudo certo e Lynn também, mas só para a mãe.

E agora? Lynn poderia tentar sabe-se lá o que nos próximos dias, poderia vencer seu nojo de jornais e revirá-los, poderia percorrer anúncios de emprego com a ponta do dedo, poderia anotar números de telefones e ligar para eles da cabine telefônica com seus últimos trocados, poderia colecionar recusas, navegar em cybercafés, buscar a secretaria municipal do trabalho, colocar anúncios nos quadros negros da cidade, poderia passar na agência de empregos, poderia fazer isso e aquilo, mas sabe que seria apenas andar em círculos, sabe que tem uma única chance: cedo ou tarde vai acabar na casa de Heinz, vai ter de procurar Heinz, é inevitável, não dá para fugir, pensa Lynn. Sua decisão está tomada. Apaga o cigarro.

Lynn sabe exatamente o que ele quer. Sabe exatamente como ele funciona. Só com a linguagem certa ele dá partida, só com as palavras que correspondem à sua fantasia. Não é muito difícil. Ela tem que dar 1.748 passos. Já percorreu o caminho trocentas vezes. Heinz vai estar em casa, não vai ter nada para fazer, vai estar descansando da guerra dos negócios, vai estar na frente da tevê, vai abrir a porta para ela, tudo isso é certo. Seus passos estão mais curtos. Por isso demora mais que de costume. Cada dia é uma abreviação do tempo, cada passo, uma abreviação do caminho. A luz ainda não desapareceu completamente do céu, ainda resta um lusco-fusco que cobre tudo, ainda não se pode falar em escuridão, ainda há gente pelo caminho, a caminho, à beira do caminho. Mas está frio, falta força ao sol. A última curva, e mais uma vez olhar por cima do ombro para avaliar a aproximação dos veículos, mais uma vez atravessar a rua e não cair sob as rodas, mais uma vez um poste de luz e então a casa dele. É única e solitária, não pertence a nenhum bloco. Lynn toca, a luz no corredor se acende, Heinz abre.

– Você?

– Eu.

Olha, acabou, ele quer dizer, ela sabe, acabou faz tempo, eu não quero nada de você, ela vai dizer, não o que você pensa que eu quero. Não o deixa falar, empurra-o para dentro da casa, na direção do corredor, sabe exatamente o que tem de fazer, sabe exatamente o que ele quer ouvir, transforma-se nas fantasias dele, e todo mundo é impotente contra as próprias fantasias. Se conseguimos acabar com as fantasias, acabamos com a pessoa, e ninguém conhece melhor as fantasias de Heinz do que ela, Lynn Zapatek. Se pudéssemos fazer uma flor desabrochar tão depressa, ela pensa, quanto esse peãozinho de xadrez chinês entre meus lábios. Lynn sabe que depois precisará desaparecer rápido, não deve importuná-lo com sua presença, tem de garantir que continuará sendo apenas efemeridade, lembrança, sonho, já está na porta e diz a ele, você sabe onde me encontrar, e logo está fora, não espera para ver se ele ainda diz algo, pensa, eu fiz tudo certo, dei a ele o que ele quer, disponibilidade, é isso o que ele quer, ele vai ligar, tenho certeza.

Em casa, Lynn se demora no banho. Diante do espelho nunca encontra a si mesma. Sempre odiou espelhos. Quando está diante de um espelho, nunca vê a si mesma. Vê apenas olhos grandes, pele lisa, cabelos puxados para trás, lábios carnudos, ombros e algumas marcas de nascença. Quem é essa?, ela pensa, sai do banho e revira a bolsa em busca do seu documento de identidade. Linda Maria Zapatek, lê, nascida em 1975, um metro e sessenta e cinco de altura, cabelos castanhos, olhos verdes. Esta, pensa, sou eu?

2

Sua vida segue, como se puxada por uma cordinha. Lynn se levanta de manhã, se arruma, então arruma os quartos do hotel, deram-lhe o emprego, Heinz o arranjou para ela e o terapeuta atirou uma palavra no espaço que continha tudo: terapia da confrontação. Pareceres, entrevistas, contrato, período de experiência, demissão pela menor falta. Falta, pensa Lynn. O tempo comete uma porção de faltas. Cada dia que passa é uma falta. E Lynn faz as coisas com regularidade. Limpar o toalete dos hóspedes, aspirar o saguão, preparar o carrinho da limpeza, trocar a roupa de cama, arrumar as camas, espanar o pó, aspirar o piso, limpar os banheiros, espelhos, azulejos, banheiras, dobrar a ponta do papel higiênico em forma de gravata, colocar chocolates sobre os travesseiros, acender um cigarro no intervalo e deixá-lo se desfazer em fumaça, ficar na janela, tomar cuidado de não tocar nas janelas, nada de manchas de gordura nos vidros das janelas, nada de partículas de cinza flutuando no quarto, cestinho de lixo no banheiro, cestinho de papéis no quarto, verificar com a mão se estão limpos também por dentro, guerra aos chicletes já mascados, aos restos grudentos de bebida ou às pontas de lápis quebradas, um último olhar de inspeção pelo quarto, um último giro de inspeção, não esquecer nenhum produto de limpeza, nenhuma tampinha solta, nenhum pano em algum lugar da banheira. Lynn aprendeu a dobrar as toalhas de banho em forma de cisne. Hóspedes que ficam por um tempo maior às vezes dão gorjeta.

Então fim do expediente, e coisas do cotidiano. As horas se esvaem, as noites naufragam no sofá, as noites são sem sonhos. Lynn está no supermercado e observa as pessoas que empurram os carrinhos pelos corredores e sabem o que precisam comprar. Lynn segue uma delas e pega as mesmas embalagens das gôndolas. Quase como naquele filme, *Nikita*. Lynn está junto ao caixa atrás da outra pessoa e coloca exatamente as mesmas coisas na esteira. Quase nunca percebem. Mas, quando alguém percebe, olha desconfiado. Lynn cumpre o dever de ingerir alimentos.

Gosta de prolongar de propósito o preparo da comida. Então faz coisas sem sentido, gosta de descascar rabanetes. Não é fácil, pois os rabanetes são muito pequenos. Enquanto tira a casca vermelha das bolinhas, Lynn ri, pensando nas pessoas que apenas lavam os rabanetes e os enfiam na boca, porque os acha muito mais bonitos, os rabanetes, quando estão nus, bem brancos, bem expostos. Lynn vai passear de vez em quando, buscando os lugares que todos buscam, o parque municipal, por exemplo, dá uma volta em torno dele, às vezes até duas, agora, na primavera, quando o sol irrompe, ela transpira fácil, porque ainda veste um casaco, e sob o casaco uma blusa grossa. Quando vê uma pedra caída pelo caminho, do tamanho da palma de uma mão, apanha-a, leva a consigo e atira-a no lago, que nesse momento não está muito cheio. Acompanha os círculos e fica contente quando o maior deles se rompe na margem.

À noite, Lynn assiste à tevê. Aluga filmes, gosta de ver *Tempos modernos*. Ovelhas, pessoas, ovelhas, Lynn pensa, não escapam de serem tosquiadas, deixa o DVD deslizar para fora do aparelho e devolve o filme ainda na mesma noite. Assim economiza um e cinquenta. Lá fora demora a esquentar. A noite respira de leve. Às vezes ela apenas fica sentada e deixa que o DVD-player devore o filme. Então olha com o canto do olho. Não ouve as palavras. Não sabe do que se trata. No máximo, uma ou outra coisa insignificante lhe salta aos olhos. Quando alguém sopra um fiapo de pano, ou quando os cabelos lhe caem na testa, ou quando Lynn vê alguma coisa na margem da tela sobre a qual pode refletir, um objeto em cena que aparentemente foi posto lá distraidamente, a câmera nem considera necessário se deter por muito tempo sobre ele, apenas passa por ele em seu giro, um jogo de futebol de mesa encostado atrás da porta, um laço de fita rosa enrolado na alça de um balde de lixo, um tinteiro virado, seco, uma jaqueta no guarda-roupa, uma declaração de amor gravada na árvore, ilegível, um balanço no fundo, ainda levemente oscilante, como se uma criança tivesse acabado de saltar dele e saído correndo do parque, pouco antes de os atores passarem ao lado do balanço, e em vez de seguir o filme, Lynn se pergunta que criança poderia ter se balançado nele e por que saiu correndo com tanta pressa, e se estaria com medo.

Lynn deixa que o sono tome conta de si. As noites são neutras. Não representam qualquer ameaça. Tampouco qualquer alívio. Noites me engolem, pensa Lynn, de manhã eu sou cuspida. Heinz emprestou algum dinheiro a Lynn, as contas foram pagas, o telefone voltou a funcionar. Toda quinta-feira Lynn liga para a mãe. Mas não a visita. Só a viagem de ida já duraria quatro horas. O terapeuta, diz Lynn à mãe, proibiu uma viagem tão longa. A mãe murmura algo que Lynn não entende, não algo mau, apenas triste, pensa Lynn. E o terapeuta balança demais a cabeça. Toda sexta Lynn o visita. O constante balançar de cabeça a incomoda. Por vezes Lynn diz de propósito coisas que, segundo pensa, não podem ser acompanhadas por tal gesto, e mesmo assim o terapeuta balança a cabeça. Isso infalivelmente a deixa louca. Lynn se segura como pode e muitas vezes evita olhar para ele, o terapeuta, mas então ela pensa, se eu olho para o chão envergonhada ele tira conclusões erradas. Ele receita comprimidos, mas Lynn não os toma, ou quase nunca. Uma vez ela se excedeu um pouco, pare, gritou Lynn, pare já de balançar a cabeça. Mas o terapeuta apenas disse isso é bom, isso é bom, ponha para fora, e continuou a assentir. Toda sexta-feira o terapeuta. Toda quarta a folga de Lynn. Toda quinta o telefonema para a mãe, sempre às quintas, sete e meia da noite, antes do noticiário. A vida inteira a mãe viu o noticiário das oito, nenhum dia se passou sem o som de gongo vindo da sala às oito horas. Toda segunda o encontro com Heinz, entre a uma e as duas horas, seu ingresso para o show da normalidade. Lynn borrifa removedor de calcário nas bordas do vaso sanitário, tem que esfregar o produto, passar o produto, ela pensa, passar, como as horas.

E a coisa começa furtivamente.

Lynn fica cada vez mais tempo no trabalho. No trabalho ela pode se esconder como numa caverna. Ninguém a vê. Ela não apenas limpa, ela limpa exaustivamente. Onde outras camareiras não veem mais nada é que tudo começa para Lynn. A leve marca na mesa de madeira é de um copo de água, uma marca que só podemos distinguir se nos inclinarmos e fecharmos um olho: Lynn apanha o lustra-móveis e apaga a marca. Grãozinhos pretos nas frestas do parapeito são restos de cinza quase imperceptíveis: Lynn os remove com a faca. Uma impressão digital num azulejo à altura dos olhos: qualquer outra não a teria notado. As gavetas das cômodas: dentro delas não sobra um único cisco. Lynn deixou crescer as unhas dos polegares a fim de poder remover sujeira grudada nos interruptores. Os lençóis sobre as camas parecem recém-passados, as cobertas não deixam ver a menor irregularidade, nenhuma pontinha, por menor que seja, espreita da pilha de toalhas. Cadeiras são arrastadas para a frente dos armários, as superfícies dos armários são desempoeiradas, as grades do aquecedor, os cantos do banheiro, purificador de ar, arejar, cheiro de limpeza. No espaço mínimo entre espelho e parede Lynn introduz uma toalha úmida enrolada na lâmina de uma faca de cozinha; a cúpula dos abajures ela limpa por dentro e por fora, afasta as mesas e aspira as pegadas que os pés deixaram no carpete.

Muitas vezes, Lynn fica até as cinco, seis horas, estica voluntariamente a jornada de trabalho, não quer voltar para casa, procura serviço por fazer e o encontra, elevadores, longas linhas de corredores, o interior dos vasos de flores. Horas extras não estão previstas, não são pagas, e Lynn não pode descontá-las depois. É seu próprio tempo. Mas ninguém a impede. Heinz pensa, ela quer nos dar uma demonstração, quer mostrar que é uma boa funcionária, não quer simplesmente ser aprovada em seu período de experiência, quer fazê-lo com distinção. Mas, mesmo depois de três meses, nada muda. Ao contrário. Lynn trabalha até as sete, algumas vezes até as oito. Anda pela cozinha do hotel, pelo restaurante, pela recepção, pela oficina, pela lavanderia, em toda parte encontra algo que não está em ordem, limpa também os quartos que estão desocupados, pois também os quartos desocupados ficam empoeirados, pensa Lynn, também neles ela vira as colchas. Ninguém a manda parar. Deixam-na fazer. E logo Lynn desaparece por trás das coisas do hotel, não dá mais na vista, é como se pertencesse ao estabelecimento, invisivelmente, uma peça de inventário que vez por outra se movimenta de forma quase imperceptível, um espírito que vem e vai como quer, um duende de passagem que trabalha. Algo cai no chão: lá está Lynn para erguê-lo. Um jornal no lounge: não fica por muito tempo lá jogado. Uma pegada de lama de um hóspede que vem da chuva: antes que o chefe da recepção possa se preocupar, ela já foi removida.

Mas a maior parte do tempo Lynn passa nos quartos. E neles é a presença das coisas, a saliência das coisas, a imediatez das coisas que tudo encobre, que se estende sobre Lynn como um lençol. Uma escova de dentes esquecida? O hóspede terá de comprar uma nova. Um desodorante barato? Ele não dá valor à higiene do corpo. Fios de barba na pia: sinal de desatenção. Absorvente na nécessaire? Um cheiro de cólicas no ar. Um relógio masculino sobre o criado-mudo? O homem terá de perguntar as horas durante a viagem. Lynn pega o relógio do criado-mudo, limpa a poeira, mas coloca o relógio de volta do jeito que estava. Marcas de água no espelho? A mulher sacudiu os cabelos antes de secá-los. Um maço de Dunhill sobre o criado-mudo? Lynn acende um de seus cigarros, de jeito nenhum o de um estranho, apenas o seu, mas respira aliviada quando entra num quarto impregnado de fumaça, pois durante o intervalo para descansar pode fumar diante da janela aberta, ninguém vai notar, fumaça se mistura com fumaça, ela nunca ouviu falar de alguém que pudesse diferenciar a fumaça de um Dunhill da fumaça de um Marlboro.

3

Lynn retorna aos quartos com frequência cada vez maior. Não aos quartos de hóspedes que partem, não, aos dos que ficam: quando ela acha que seus ocupantes estão fora e não voltam antes do cair da noite. E Lynn fareja. Qual o cheiro do homem que se hospeda aqui? Ele cheira a lavanda? O pijama fede a suor? Com que sabão as roupas da mala foram lavadas? Pêssego? Violeta? Odor de primavera? Ele se barbeia com lâmina ou barbeador? O que anotou no bloquinho? As roupas estão em ordem ou jogadas no encosto da cadeira? O que tem nos bolsos? Por que está aqui? Para montar uma máquina? Encontro de negócios? Assunto particular?

No outro quarto, uma mulher: os sapatos ao lado da cadeira são danados de altos, quem usa um sapato desses deve ser autoconfiante, deve estar segura de si, deve se achar bonita, quem usa um sapato desses deve ter a pretensão de dominar o mundo, a calcinha tem marcas de secreção, no banheiro Lynn encontra o medicamento, um pouco escondido, no fundo da nécessaire, KadeFungin, contra candidíase, na mala tem uma etiqueta colada, Sabrina Hutwelker, Sabrina, Lynn pensa, soa a Humphrey Bogart.

Quarto 309, um saquinho do Lidl* sobre a cadeira, como ele pode se dar ao luxo de uma noite no Eden, muito caro para ele, provavelmente foi a firma que pagou sua estada, no saquinho do Lidl tem chips de batata, amendoins, chocolate, além de uma garrafa de vinho com tampa de rosca, é baixinho, o homem, baixinho e gordo, uma pomada cicatrizante, ele deve ter caído, uma esfoladura, o resto de um curativo no cesto de lixo, ou então, pensa Lynn, bateram nele, foi espancado, talvez seja alguém de quem os outros zombam, alguém sobre quem fazem piadas, desde a escola, esse moço gordo de óculos, hoje ele está de lentes de contato, ali está o recipiente vazio, aberto, quando criança sempre esses óculos grossos que deformaram seus olhos, um livro antigo sobre o criado-mudo, já bastante estragado, exemplar de saldo, encontrado por um e cinquenta em alguma gôndola e, como se

---

* Rede de supermercados populares. (N.T.)

essa soma representasse um valor incomensurável, o sujeito rabiscou estas tristes palavras na primeira página: Este livro pertence a Bernie Willms.

A cada dia que passa Lynn demora mais para ir embora. Ela não tem mais nada o que procurar no quarto onde está, bem depois do meio-dia, seu trabalho terminou há horas. Se a hóspede tivesse esquecido alguma coisa, ou se o seu compromisso tivesse sido adiado, se ela aparecesse inesperadamente em seu quarto, Lynn estaria numa enrascada. Não sabe se acreditariam na desculpa preparada. Mas justamente isso é que é excitante: o risco de ser apanhada. Um secador portátil? A mulher nunca esteve num hotel, ou então não confia em secadores de hotéis. Pantufas? Estada prolongada. Frigobar saqueado? Falta de moderação. Nenhum pijama na cama? A hóspede dormiu nua, não, a roupa está no armário, ela a enfiou ali. Lynn deixa o pijama onde está, fecha o armário, alisa a colcha, mas não consegue tirar o pijama da cabeça. Olha o relógio, abre o armário, tira a blusa do pijama, sacode-a. É de abotoar, como uma camisa. Lynn a coloca sobre os ombros. Fica assim por um momento. Excitação, só de imaginar a porta se abrindo. Atira a blusa de volta para dentro do armário e o fecha. Roupas de dormir, afinal: um pijama rosa e meias de dormir amarelas? A mulher ainda é uma criança: quer que a coloquem na cama. Uma camisola de alcinhas? Para quem se veste algo assim? A mulher está sozinha aqui, quarto individual, a cama desarrumada só de um lado. Lynn se despe, apressada, fica nua diante da cama. Atira o uniforme de arrumadeira sobre a cadeira. Espreme-se na camisola de alcinhas. É muito pequena, o tecido mal cobre seu sexo. Então ouve vozes do outro lado da porta, arranca a coisa do corpo, está intacta, Lynn respira ofegante, mas as vozes se afastam. Lynn volta a vestir o uniforme e ajeita a cama.

Acontece numa terça-feira.

Lynn atribuiu cores aos dias. As terças são cor de casca de ovo. De manhã ela partiu um ovo, mas não o comeu. Agora está no quarto 303, ouve passos no corredor, tem um sobressalto, perdeu a noção do tempo, olha o relógio, já passou muito do horário de sair, e Lynn já sabe, quando ouve os passos, que eles vão parar diante do quarto em que está e onde não deveria mais estar. Lynn vestiu a camisa do pijama do hóspede por cima do uniforme. Abotoou-a. As mangas são muito compridas. Ela ouve a chave na fechadura. A porta se abre, o hóspede entra no quarto.

E Lynn?

Desapareceu.

Seu coração finalmente dá sinal de vida.

Ela está embaixo da cama.

É uma cama de casal.

Ela ainda está com a camisa do pijama. Lynn vira a cabeça de lado. Pode ver as pernas do homem, que entra no banheiro. Ouve o jato de água do chuveiro. É sua chance. Sai do esconderijo. Olha para a porta do banheiro, nada, Lynn dobra a camisa do pijama e a coloca sob a coberta.

E agora?

Deve sair em silêncio do cômodo. Assim tudo estaria resolvido. Hesita. Ainda se ouve o jato de água.

Lynn não abre a porta.

Ela fica.

Ela joga.

Ela quer.

Sente a coceira da tentação na pele. Ainda uma breve hesitação: o que é que estou fazendo? E Lynn age.

Volta para debaixo da cama.

Fica ali, deitada.

Espera.

É com isto que a vida se parece.

Uns poucos minutos bastam para estudar seu território, farejá-lo, demarcá-lo. É escuro ali, e poeirento, mas nenhum aperto lhe aflige o peito. Se não fossem as laterais abertas, ela estaria como que deitada num caixão, mas há os vãos laterais abertos, eles deixam entrar luz e ar. Entre a ponta do nariz e o estrado sobra um espaço de mais de um palmo. Ela pode se agarrar ao estrado com as mãos. Pode colocar as mãos ao redor da cabeça. Pode enfiar as mãos debaixo dos quadris. Sarrafos, nesgas dos colchões, estrados, dois estrados, um para cada colchão, oitenta centímetros de largura para cada um, dois metros de comprimento, na altura dos ombros há quatro mãos-francesas um pouco encurvadas para baixo, não muito, quase não incomodam, a cama tem quatro pés, nenhum apoio extra no meio. Lynn fecha os dedos em torno das mãos-francesas que ficam de través na altura dos quadris.

O homem volta para o quarto. Liga a tevê. Estalo de um isqueiro, uma longa expiração aliviada. Primeiro um filme que Lynn não conhece. É divertido formar imagens a partir dos sons. Depois um canal de notícias. Leve respiração de quem dorme lá em cima, mas o homem não ronca. Como ele pode dormir com a tevê ligada? Talvez seja o som monótono das palavras? Agora uma voz que Lynn pode atribuir ao presidente americano. Ele diz: *When I talk about war, I actually talk about peace.* Depois de uma hora, o programa é repetido, notícias quase idênticas, uma série infinita. Lynn cai numa leve modorra. Acaba dormindo também. A certa altura, volta a si, a tevê está desligada, sua nuca dói, mas Lynn se sente bem ali, sob a cama, escuta por algum tempo a respiração acima de si. De manhã, sai do esconderijo enquanto o hóspede toma banho.

Quarta-feira é a folga de Lynn. Ela deixa o hotel pela porta de trás sem ser vista. Seu coração bate mais depressa quando pensa na noite anterior. Quando pensa no que poderia ter acontecido. Quando pensa no que poderia ter ouvido. Quando pensa que poderiam tê-la apanhado. Uma camada de cansaço pesa sobre ela. Tudo está estranhamente empastado. Mas ela sabe que vai fazer outra vez, tem de fazer, ela sabe que descobriu algo. Toda terça-feira, pensa Lynn, vou fazer isso toda terça.

4

No domingo fica inquieta. Não sabe se consegue aguentar até terça. Duas noites ainda em sua própria cama. Duas noites sozinha, ainda. E no momento em que está pensando em se meter talvez já na segunda feira embaixo da cama da hóspede do quarto 307, uma velha senhora que fez reserva para uma semana e curiosamente tem uma dentadura postiça que boia como um sorriso esquecido no copo usado para escovar os dentes, no momento em que Lynn torce o pano e ouve o suave gotejar da água, Heinz entra no quarto 302, que ela está limpando agora.

– Lynn – ele diz.

Lynn se levanta e olha para ele.

– Recebemos um telefonema – diz Heinz.

– Que telefonema? – Lynn pergunta.

– Sua mãe.

Lynn tira o uniforme de limpeza. Age mecanicamente. Domingo é azul-pálido, Lynn toma um táxi para a estação, toma o trem para casa, quatro horas de viagem, na estação de sua cidade natal toma um táxi para o hospital, lá ela hesita, fuma e tenta armazenar tanta fumaça quanto possível, amassa o cigarro no recipiente destinado a isso. Ao seu lado um homem com uma grossa atadura em torno da cabeça solta baforadas, sorri. Na recepção, Lynn é informada do número do quarto: 118. Um mais um são dois, dois mais dois são quatro, quatro mais quatro são oito. 118. Sua mãe está acordada. As primeiras palavras têm o intuito de acalmar. Nada de grave, diz a mãe, por sorte me trouxeram a tempo para o hospital, operação bem-sucedida, *bypass**, em duas, três semanas volto para casa, mudança de hábitos, menos gordura etc., *mas que bom te ver, Linda.* Lynn puxa uma cadeira para junto da cama. Isso produz um som arranhado. Há no quarto uma outra mulher, dormindo, com uma pilha de revistas ao lado da cama.

– Como aconteceu? – pergunta.

– Eu estava cortando a grama.

Sua mãe estava empurrando o cortador de grama, ao longo de todo o longo gramado, e de repente

* Ponte de safena, em inglês no original. (N.T.)

o soltou e mergulhou de ponta-cabeça no verde. O vizinho, que estava mexendo no viveiro de coelhos, viu tudo, não hesitou um segundo e pulou a cerca, colocou sua mãe de lado, em posição estável, era bombeiro voluntário, chamou a ambulância pelo celular, segurou a mão de sua mãe e recitou uma sinopse do ocorrido para o socorrista. Chegou a acompanhá-la na ambulância, fez uma piada quando sua mãe voltou a si e tudo já parecia em ordem.

"Ora!", disse o vizinho. "A senhora quase beijou a grama."

– Por que não me visitou? – sussurra a mãe.

– Não sei – diz Lynn.

– Há quanto tempo você saiu?

– Faz três meses.

– Mas então já poderia ter me visitado.

– Claro – diz Lynn.

– Eu lhe fiz alguma coisa?

– Não – diz Lynn.

– Mas por que você...

– Mãe – diz Lynn, e olha para a mãe de um modo que a faz se calar.

Lynn tira cigarros da bolsa, olha em torno, muda de ideia, volta a guardá-los. Eu mal posso comigo mesma, é o que Lynn mais gostaria de dizer, como vou visitar você, se mal me aguento? Mas não diz nada. Apenas fica quieta. Sobre meus ombros não há mais lugar para você, é o que Lynn mais gostaria de dizer, quase não há lugar para mim, eu mesma me arrasto da melhor maneira possível. Se tiver de carregar você também, eu desabo.

– É bom ter você aqui – diz a mãe.

– Não posso ficar muito tempo.

– Claro.

Ela não dá demonstração de nada, pensa Lynn. Ela se recolhe. Como alguém pode se *re*colher?, pensa Lynn e olha ao largo da mãe. Colher é sempre arrancar, arrancar é sempre destruição. Nós nos arrancamos para dentro de nós todos os dias. Todos os dias fazemos algo que não funciona. Vivemos num espaço de opostos simultâneos.

– Pode me dar um pouco de água?

Lynn põe água no copo, pouco gás, a mulher ao lado acorda, pouco antes de acordar solta um ronco, estremece levemente de susto, cumprimenta a visita, Lynn acena com a cabeça, a mãe não dá atenção à mulher, continua a falar com Lynn, fala de flores que plantou, do mato que arrancou, de figuras que moldou, de projetos que fez. No outono, ela vai para a Toscana, uma excursão.

– Fico feliz – diz Lynn.

– Você tem moedas?

– Por quê?

– Aqui tem máquinas de vender bebidas.

Lynn esparrama o conteúdo de sua bolsa sobre a mesa.

– Como vai o trabalho? – pergunta a mãe.

– Ainda não roubei nada.

– Não foi isso que eu quis dizer. O que você faz durante o dia?

– Faço faxina.

– O que em primeiro lugar?

– O banheiro.

– Sempre?

– Primeiro o banheiro, depois o quarto. Passo aspirador de pó no chão.

– Tira o pó?

– Todo dia.

– Junta tanto pó assim, depois de um único dia?

– Quase não dá para ver. Só na luz do sol.

– Mesmo assim você limpa?

– Sim, claro.

– Com um pano?

– Com uma toalha molhada.

– E as camas?

– Arrumo.

– Troca a roupa todo dia?

– Depende.

– De quê?

– De quanto tempo os hóspedes ficam. Se ficam um dia só, tenho de trocar todos os dias.

– E se ficam mais tempo?

– Então não.

– E se um deles fica três dias?

– Então não.

– Se um deles fica por uma semana?

– Nesse caso, a cada três dias.

– A cada três dias?

– Sim.

– Quer dizer que se alguém fica hospedado durante duas semanas você troca as camas quatro vezes?

– Mais uma vez no final. Para o novo hóspede.

– E os sapatos?

– Tenho de limpá-los.

– Sempre?

– Quando o hóspede pede.

– E as toalhas?

– São trocadas.

– Todo dia?

– Depende.

– Do quê?

– Se estão no chão ou penduradas no porta-toalhas.

– E como foi na clínica? – pergunta a mãe.

– Acho que me curaram.

– O que você fazia lá todo o tempo?

– Eu preciso ir, mãe. O trem.

– Você deve ter feito alguma coisa nesse meio ano.

– Terapias.

– Por que você não quis receber visitas?

– Fazia parte da terapia.

A mãe se cala. Exaustão mútua. Como depois de uma luta. Fazia tempo que não falávamos tanto, pensa Lynn. Bebe um gole de água do copo da mãe.

– Você vem outra vez? – pergunta a mãe.

– É uma viagem longa.

Alguém põe uma criança no mundo, pensa Lynn, educa-a, alimenta-a, cuida de sua sobrevivência diária, deixa que ela saia de casa, de suas mãos, para o mundo, e então a criança passa a viver no mundo, junto com os outros, e esse alguém queria estar perto mas não pode, arranca algumas palavras, antes de ela submergir e isso é tudo. Lynn se levanta. Não sabe como se despedir. A mãe pega a mão de Lynn, a coloca no rosto como se fosse um pano, como se quisesse lavar o rosto com a palma da sua mão. Lynn consente. Lynn não pode ver a si mesma, de fora, falta um espelho no cômodo e ela não sabe se sua boca fabrica um sorriso ou simplesmente se mantém reta, um risco inexpressivo, horizontal, na paisagem que, desde que aprendeu a falar, ela chama de cara, mas nunca viu cara a cara, a não ser no espelho, mas então já não é mais ela mesma.

Depois que a porta se fecha e sua mãe é deixada para trás e o hospital desaparece às suas costas, Lynn procura um cigarro, mas o que tira do bolso não são cigarros, é uma caixinha contendo pílulas azuis e brancas, com três compartimentos, manhã, meio-dia e noite. Lynn não sabe como a caixinha foi parar no bolso de seu casaco, não sabe quando a pegou de cima da mesa, apenas vê o resultado e, como não sabe o que deve fazer, abre a caixinha e toma uma pílula branca do compartimento da noite, pois há muito já é noite e a escuridão cai devagar sobre o mundo, pensa Lynn, se é que é possível que algo caia devagar sobre algo, mas falta uma outra palavra para exprimir o que ela sente.

5

A coceira é forte. Lynn brinca muitas vezes com o pensamento de fazer aquilo já na segunda, mas se reprime, adia a liberdade da excitação para a terça. Foi assim que planejou. É assim que vai fazer. Não se afastar do planejado. Terça às seis da tarde Lynn desliza para debaixo da cama, quarto 308, e espera.

O casalzinho chega tarde. Conversam até uma hora. Não é uma discussão, é uma conversa sobre o futuro, uma conversa em que a palavra "se" desempenha um papel, trata-se de uma casa a ser comprada, trata-se do tempo que se deve passar juntos, trata-se das palavras morar juntos, quando enfim morarmos juntos, então nós vamos, diz o homem, e a mulher provavelmente sorri, trata-se de um filho que ainda não existe, trata-se de uma vida que ainda não foi vivida, é a rua de mão única chamada futuro que se abre sobre a cama, no escuro, os dois apagaram a luz, nada de sexo lá em cima, trata-se de dinheiro, de financiamento, de empréstimo, de uma quantia a ser dada pelos pais, trata-se de corretores e comissões exorbitantes, e Lynn se pergunta se os dois estão deitados de braços dados, pelo menos isso, ou se é cada um por si, no seu canto, e eles apenas se olham, sem se tocar. A conversa para, os dois não sabem mais o que dizer, o futuro como um chiclete já mascado em suas bocas, e dentro do silêncio o homem de repente diz mimimimi, a mulher dá um risinho, o homem diz mimimimi com voz de falsete, diz eu sou o cozinheiro dinamarquês, não, diz a mulher, esse é o ajudante do cozinheiro, Smörrebröd-Smörrebröd-Ramtamtamtam, canta o homem, e a mulher diz por favor não, mas o homem lhe faz cócegas assim mesmo, e a mulher ri e diz não, pare senão eu grito, e o homem para e diz de novo mimimimi, a mulher diz talvez devêssemos tentar dormir, e então silêncio, apenas mais um risinho, e a mulher sussurra boa noite, querido, até amanhã, diz o homem, e Lynn ouve como eles se viram de costas um para o outro, suavemente, a cama range.

De agora em diante, toda terça-feira. Lynn leva um pano para baixo da cama e limpa o estrado. Nunca antes as camas estiveram tão limpas por baixo. Nas primeiras horas, Lynn fica ali deitada sozinha. Então procura ouvir o que se passa dentro de si. Mas não ouve nada, apenas as batidas do seu coração, uma ou outra vez. Lynn fica totalmente vazia, os olhos fechados, cai numa modorra. Quando a porta se abre e alguém entra no quarto, ela tem um estremecimento, volta a si, põe as mãos sobre a barriga. Então desperta. Então está lá.

Na terceira terça-feira, um homem faz abdominais ao lado da cama, e Lynn precisa deslizar em direção à outra beirada, para que ele não a veja. Mais tarde, o homem se senta em posição de lótus. Diz brummmmm, prolongando o "m", exercício respiratório, pensa Lynn, meditação, depois Lynn ouve um folhear de páginas de revista, aqui e ali um pigarro, um prender de respiração, uma expiração. A certa altura a luz é apagada.

Na quarta terça-feira, alguém fala consigo mesmo, diz merda, e de novo a palavra merda, como se pensasse em algo que fez ou disse e que preferiria retirar, como acompanhamento às palavras Lynn ouve duas vezes o som de uma palmada, ele bate na testa, como se quisesse dizer como é que eu pude ser tão idiota, e Lynn pensa o que ele fez, o que ele disse, para quem ele disse, quando ele disse, talvez numa reunião, um contrato, ele devia ter se preparado melhor, merda, de novo, uma chance perdida, pensa Lynn, um negócio fracassado, talvez, ou algum constrangimento, uma ignorância, *second-messenger*, diz o homem agora no escuro acima de Lynn, *second-messenger*, pragueja, como eu pude ser tão idiota, diz, então novamente duas palmadas, diz merda, merda, merda, põe-se no lugar de seus colegas, imagina o que pensam dele depois do que disse ou não disse, talvez seja apenas algo ínfimo, algo insignificante, provavelmente os outros já esqueceram do assunto há muito tempo e nenhum deles ainda pensa nele e no seu erro, mas na cabeça do homem todos dizem, como é que pode alguém ser tão idiota, aos poucos o homem se acalma, vez por outra Lynn ainda escuta um suspiro lamentoso, quando a lembrança volta a cutucá-lo, ele tem vergonha, pensa Lynn, o homem está completamente só em sua vergonha que esta noite ninguém pode tirar dele.

Na quinta terça-feira, a tevê, Lynn não pode ver o filme, apenas ouvir. Pinta as imagens diante de si, ouve vozes e sons e vê o que quer ver, inventa imagens próprias, sirvam ou não. Basta a nitidez dos sons para limitá-la. Se são passos ou uma porta que bate, se é um grito ou um motor que é ligado; se é um beijo ou um golpe, se é um arquejo ou uma saída em disparada; então Lynn pensa, não quero ouvir tanto. Ela prefere o silêncio. No silêncio tudo é possível. Se a tevê silencia, se o filme se cala, se restam apenas imagens no espaço, imagens que ela não pode ver, é como se por um momento ela caísse para fora do tempo; como se ela não fosse mais apenas ela mesma. Momentos assim são raros. Mas envolvem Lynn como um pano quente.

Na sexta terça-feira, uma mulher que adormece imediatamente.

6

Sétima terça-feira, quarto 304, Lynn está embaixo da cama de um homem. Ele está no banho. É quando batem à porta. As batidas ficam mais fortes. Lynn vê pernas que saem do banheiro, os pés nus deixam manchas de água no tapete atrás de si, o homem abre a porta, diz oi, pode entrar, ele o diz num tom rude, como se quisesse soar especialmente sujo, fecha a porta, Lynn ouve uma voz de mulher. Embaixo da cama não está frio. Lynn põe as mãos sob os quadris, arqueia seu sexo um pouco para cima em direção à cama, busca uma posição confortável, prende a respiração.

– Como você se chama? – pergunta o homem.

– Chiara – diz a mulher.

Esta voz, pensa Lynn, a voz de Chiara, soa quase como se nela tocassem violoncelo.

– Tire a roupa – diz o homem –, eu já volto.

Chiara se senta na cama. Lynn vira a cabeça, vê sapatos de salto alto, meias pretas, sob as meias uma tatuagem no tornozelo, os sapatos são tirados, as meias, as ligas, a saia minúscula, a blusa, a calcinha, venha cá seu porco. A coisa é rápida. Lynn estremece levemente. Uma nuvem de poeira se forma. Lynn tapa o nariz para não espirrar. Durante a faxina, ela pensa, não deveríamos negligenciar os colchões. Deveríamos, ela pensa, bater os colchões todos os dias. Com um batedor de tapetes. Os gritos em cima dela se tornam mais altos. A mão esquerda de Lynn busca, tateia, abre, a direita apalpa, código Morse, dedos desaparecem, lábios são calados pelos dentes, na cama um tumulto, Lynn também geme agora, bem baixinho, seus gemidos se misturam com os gemidos acima dela. Lynn ouve sons de pancadas.

– Mais forte – grita o homem.

Ouvem-se estalos.

– Agora você está perdido! – grita Chiara. – Vou te foder até a morte.

Lynn se torce embaixo da cama. A respiração há muito se tornou autônoma, é tão alta que eles poderiam ouvir e, no entanto, tão suave que eles não ouvem. O corpo de Lynn se agita. Suas mãos agarram a cama por baixo. Acima dela as garras do homem no colchão. A apenas uns poucos centímetros de distância. E então tudo acaba. Lynn perdeu o fio. Ela respira, suada. Por um momento sente medo que duas cabeças invertidas olhem para ela embaixo da cama. Mas isso não acontece. Apenas um arquejar exausto. E a respiração de Lynn, novamente silenciosa. Eles não perceberam nada.

– Quanto é? – pergunta o homem.

Chiara:

– Com o dildo são 250.

– Anote seu número para mim.

– Eu deixo meu cartão.

– Coloque em cima da mesa.

– Vou tomar um banho rápido.

Lynn vê os tornozelos, as panturrilhas, desliza mais para a beira da cama, vê os jarretes, as ancas, as costas, os cabelos descem até as omoplatas, estão tingidos de loiro. Lynn ouve o jato do chuveiro. Volta a deslizar para o meio da cama. Por alguns minutos, nada. O homem está deitado, quieto. Seus pensamentos, inaudíveis. O ânimo, esgotado. Quando algo se acaba, o ar fica turvo. O fim de algo cheira sempre a névoa. Chiara sai do chuveiro, veste-se lentamente, enrola as meias e deixa pés e pernas deslizarem para dentro delas. Enquanto isso ela é observada, pensa Lynn.

– Então tá, eu ligo para você – diz o homem.

Chiara bate os saltos em torno da cama.

– Tchau.

Uma porta se fecha.

O homem vai para o banho.

Lynn o imagina embaixo do chuveiro apagando o sexo do corpo, mãos estranhas, língua estranha. Ele vai escovar os dentes e borrifar perfume e desodorante. Vai secar os cabelos. Vai fazer tudo e ser novamente quem ele não é.

Lynn sai de baixo da cama. Não vai passar a noite ali. Não hoje, não depois do que aconteceu. Põe a roupa em ordem, rapidamente. O chuveiro ainda aberto, sempre. Antes que ela deixe o quarto, seu olhar pousa sobre o cartão de Chiara. Lynn pega o lápis do hotel, rabisca o número do telefone no bloquinho branco com o logotipo do Eden e arranca a folha. No corredor há uma poltrona sobre a qual ela se deixa cair. Guarda a folha. Pensa brevemente, é a primeira vez que eu pego alguma coisa que não me pertence. Fica sentada no corredor, tapando o rosto com as mãos, exaustão. Depois de dez minutos se levanta e começa a limpar o corredor. Lynn conhece bem o corredor. Conhece-o como a palma da mão. Sabe de seus cantos escuros e do pé-direito alto. Sabe que tem de subir numa cadeira para alcançar todos os pontos com o espanador. Sabe que tem de tirar o espelho da parede e limpar a poeira que cai do alto e que se acumula por trás dele, passando pelo vão que há entre o espelho e a parede. Sabe que o corredor é menos iluminado do que os quartos, porque não há janelas e a luz artificial quase não produz claridade. Sabe que não consegue ver a sujeira tão bem como nos quartos, com luz natural. Sabe que por vezes apenas pressente a imundície. Lynn faxina até que o homem sai do quarto 304. Lynn lhe faz um aceno de cabeça. O homem acena em resposta, vai em direção ao elevador. Nenhum deles diz nada.

Em casa Lynn toma banho. Masturba-se mais uma vez. Débeis fios de fantasia ainda persistem. Está a mil, não tem apetite algum, coloca a folhinha com o número de Chiara sobre a mesa.

Lynn não tem coragem.

Ela rodeia o telefone.

Uma semana inteira.

Se ela pegasse o fone e discasse o número, algo mudaria. O que Lynn não sabe é se quer isso. O que não sabe é se lhe traria felicidade ou infelicidade. Fosse como fosse, tornaria a ouvir a voz de Chiara.

Próxima terça-feira.

Não acontece muita coisa. Nada, na verdade. O hóspede só chega no quarto ao amanhecer, lá fora já está clareando, ele cai na cama sem tirar a roupa e ronca. Talvez esteja bêbado. Às onze, ainda dorme. Quando ao meio-dia ele vai para o chuveiro, Lynn sai.

Estou cansada, ela pensa, estou tão cansada que não posso fazer mais nada, estou tão cansada que tudo o que posso fazer é cair na cama, na minha. Mas em vez disso acontece outra coisa: quando chega em casa, sua mão pega o fone e seus olhos leem os números na folhinha do Eden, e seu ouvido ouve o pipilar que indica linha livre para discagem, e sua cabeça lhe diz aquele é um número de celular, e sua língua fala com Chiara que atende logo depois do segundo toque, e essa voz deixa Lynn nervosa, ela não sabe ao certo o que deve dizer, mas se recompõe, gagueja por um momento apenas, Chiara a salva do constrangimento, para ela não parece estranho que uma mulher telefone, Lynn não preparou nada para dizer, nem frases, nem perguntas, simplesmente se põe a falar, de repente quer de qualquer maneira ver o rosto ao qual pertence aquela voz, e pergunta a Chiara sobre a possibilidade de visitas a domicílio, e para Chiara nada disso é problema, e por que seria, pensa Lynn, Chiara já deve ter recebido milhares de chamadas como esta, ela conhece a sequência de perguntas e respostas, por fim a coisa engrena e flui quase como que por si mesma.

– Você pode no sábado? – pergunta Lynn.

– A que horas?

– Às cinco?

– Onde você mora?

– Kohlhaldenstrasse, 7.

– Em que apartamento devo tocar?

– No de Zapatek. Lynn Zapatek.

– Onde você conseguiu meu número?

– Isso tem importância?

– Com algum cliente?

– Sim.

– Quem?

– Você precisa saber?

– Sim.

– Eu lhe digo no sábado.

– Algum desejo especial?

– Não.

– Então tá.

– Então tá.

– Até as cinco.

– Às cinco.

– Tchau.

– Tchau.

Lynn transpira. É tomada por uma disposição que poderia confundir com vivacidade. Seu olhar cai sobre o fone que ainda está na sua mão. Concha de telefone, diz ela para o ar. Concha, diz Lynn, como assim, concha?

Quando era criança, encontrou certa vez uma concha na praia, levou a concha para a mãe, que estava estendida ali em trajes de banho, branca como um queijo sob o guarda-sol, com seu livro.

Uma concha, disse Lynn, encontrei uma concha.

A mãe disse, coloque-a sobre o ouvido.

E Lynn colou a concha ao ouvido.

O que você ouve?, perguntou a mãe.

Um murmúrio, disse Lynn.

É o murmúrio do mar, disse a mãe, as ondas que estão presas na concha.

O mar?, perguntou Lynn.

O mar, disse a mãe, e continuou a ler.

Como, pensou Lynn, como é que uma concha pode prender o mar, como pode algo tão pequeno e frágil como uma concha prender algo tão grande e indestrutível como o mar, as ondas do mar, o murmúrio do mar? E então levou a concha para o seu quarto e a colocou sobre o criado-mudo, e, como não conseguia dormir, ficou segurando a concha colada ao ouvido, olhando fixamente para a escuridão e ouvindo o rumor das ondas. Pegou o copo de água e o esvaziou, e só porque pegou o copo de água e o esvaziou pôde segurar o copo de água vazio na mão, e só porque segurou o copo de água vazio na mão o colocou de repente sobre o ouvido, e só porque colocou o copo de água sobre o ouvido ouviu o mesmo murmúrio que ouvira da concha, as mesmas ondas, o mesmo vento. E Lynn recolocou o copo no lugar e atirou a concha no cesto de papéis, porque tinha de repente pressentido que tudo na vida é um engano.

7

Nos dias seguintes a faxina avança penosamente. Lynn enrola. Deveria se apressar. Em vez de limpar mais depressa, limpa mais devagar. Lava duas vezes o copo de escovar os dentes. Certa vez um deles cai no chão, se estilhaça, ela tem de recolher os cacos e ir buscar um novo. Lynn vê manchas invisíveis em cada canto do chão do banheiro. Não acaba nunca de removê-las. Seria preciso, pensa Lynn, arrancar os ladrilhos do piso e limpar por baixo deles, seria preciso arrancar tudo e fazer de novo, então ficaria limpo, mas talvez nem mesmo assim, talvez então é que ficasse realmente sujo, da poeira que os trabalhadores fazem. Lynn enfia a luva de limpeza bem fundo sob as bordas do vaso sanitário, ali há pontos que ela não consegue ver, desde sempre a perturbaram pontos que ela não consegue ver, como posso saber, pensa Lynn, que os pontos que não consigo enxergar estão realmente limpos, talvez eu devesse arranjar um espelho de dentista para poder examinar também as bordas internas, um espelho para bordas de vasos sanitários para rastrear os mínimos restos de merda ou pingos de urina, mas e as bactérias, não enxergamos as bactérias, só podemos tentar dar cabo das bactérias com desinfetante de banheiro, temos que acreditar nas etiquetas coladas nos frascos de desinfetante de banheiro, extermina as bactérias e garante higiene completa, como ilustração, a figura de um menino que se ajoelha diante do vaso e cujos dentes brilham igualzinho à bacia de esmalte.

No sábado, Lynn sai do hotel às quatro. Em casa verifica, como já tantas vezes neste dia, sua carteira, conta as cédulas, tira duas e as coloca sobre a mesa da sala. Coloca a garrafa de água sobre o canto das cédulas, para que não saiam voando se Chiara quiser abrir a janela, pois lá fora sopra um vento forte de verão. A cada minuto Lynn olha o relógio e fica mais nervosa. Esfrega as mãos nas coxas para enxugá-las.

Então a campainha toca, Lynn aperta o botão e espera até que Chiara esteja diante da porta.

– Oi – diz Lynn –, pode entrar.

– Alô – diz Chiara, com um "o" prolongado, o arco fazendo soar uma nota escura, abismal.

Essa voz, pensa Lynn, não combina com Chiara, essa voz é de alguém que mora no fundo dela e espera poder um dia ver a luz do mundo. Chiara entra, passando rente por Lynn. Faz o que faz naturalmente, espontaneamente. Tem boa aparência, pensa Lynn, e fecha a porta. Só os cabelos tingidos em excesso. Uma saia curta, meias pretas, sapatos altos, top, seios pequenos, Chiara não usa sutiã, Lynn logo vê, deve ter em torno de 25 anos, pensa Lynn, a maquiagem é tudo menos discreta e os olhos de Chiara, Lynn viu imediatamente, são amendoados, castanhos, não combinam com os cabelos loiros.

– Por que você pinta os cabelos? – pergunta Lynn.

Chiara se volta, inspeciona Lynn por um momento.

– Onde conseguiu meu número? – pergunta Chiara.

– Quanto tempo você tem? – pergunta Lynn.

– Que é que você quer?

– Há quanto tempo você faz isso?

– O quê?

Lynn se cala. Chiara se senta no sofá. Cruza as pernas. Sob a saia Lynn vê as ligas.

– Você pensa que eu sou uma puta – diz Chiara. – Não sou. Eu não sou nenhuma puta.

– Se eu lhe disser tire a roupa, você tira a roupa – diz Lynn.

– Só se eu quiser.

– E se eu pagar? – diz Lynn, e mostra o dinheiro.

– Eu escolho meus clientes, eu tenho *clientes*, não fregueses, entendeu, eu só transo quando quero transar.

– Você faz por dinheiro.

– Eu não tenho gigolô, não vou à caça. Putas têm que fazer o que são mandadas, eu só faço o que quero. – Chiara se levanta. – Me diga, onde conseguiu o meu número?

– Espere – diz Lynn –, espere.

Chiara volta a se sentar. Lynn pega a garrafa de água e a destampa, há um breve chiado, ela põe a garrafa na boca e bebe um gole. Oferece a Chiara.

– O número – diz Chiara.

Lynn bebe mais um gole, pois sua boca está estranhamente seca, empoeirada, seria preciso inventar um pano de tirar pó para a boca, para situações como essa, pensa, se a boca está seca de poeira precisamos de um pano de tirar pó para a boca, para limpar o pó por dentro da boca, para poder falar de novo sem esse ruído de língua que sai quando a boca está muito seca e a saliva já não é mais um líquido, e sim uma massa pastosa.

– Você esteve no Eden – diz Lynn. – Há poucos dias. Com um homem. Quarto 304. Eu estava deitada embaixo da cama. Anotei seu número. Do cartão. Você o deixou sobre a mesa. – Lynn pensa: ela não acredita em mim. – Eu sou camareira lá – diz, ainda.

– No Eden? – pergunta Chiara.

– Sim.

Lynn ouve os pensamentos de Chiara, que rima suas próprias verdades, camareira, que durante a faxina encontra um cartão erótico e anota o número, porque pelo menos uma vez na vida tem de lhe acontecer algo de excitante.

– Você tem mais prazer com mulheres? – pergunta Lynn.

Chiara franze a testa. Pensa um pouco. Então passa a mão em alguma coisa no ar, como se espantasse uma mosca.

– Claro – diz Chiara, e Lynn sabe que Chiara diz exatamente o que Lynn quer ouvir. – Não quer se sentar? – pergunta Chiara. – Você tem medo?

– O quê?

– Está excitada?

Lynn se senta junto de Chiara no sofá. Chiara põe os braços em torno de seus ombros.

– Como você pode tocar alguém que não conhece? – pergunta Lynn.

– Todos nós temos duas pernas e dois braços e uma cabeça com tudo o mais que é preciso. Por exemplo, costas.

Chiara puxa Lynn para mais perto de si, nada de erótico no gesto, está lá sentada, ao lado dela, pega Lynn pelo braço, firme, Lynn tenta se agarrar à sua sobriedade, pensa, ela sabe o que faz, e então percebe como Chiara começa a acariciá-la devagar, para cima e para baixo nas costas, ouve como Chiara deixa escapar um som, uma leve expiração, como se o que está fazendo lhe desse prazer, talvez lhe dê mesmo prazer, pensa Lynn, você tem uma aparência fantástica, diz Chiara, eu gosto do seu nariz, os rostos ficam mais próximos, eu prefiro mulheres, sussurra Chiara, não sedutora, não mentirosa, a voz, pensa Lynn, soa sincera, deve ser sincera, e você, pergunta Chiara, já esteve alguma vez com uma mulher?, não, diz Lynn, e com o dorso da mão Chiara acaricia o rosto de Lynn, seus dedos abertos penetram os cabelos de Lynn, enquanto sua boca se abre, Chiara toma o queixo de Lynn entre os lábios, faz tempo que Lynn fechou os olhos, a mão de Chiara desliza devagar pelas coxas de Lynn, e esse polegar que parece não saber para onde quer ir, Lynn respira ruidosamente, esqueceu as perguntas que quer fazer, esqueceu tudo em torno de si, diz continue, então não diz mais nada, é apenas um corpo que sente e perde o controle, e só quando Lynn ouve o ruído do chuveiro ela percebe que está deitada nua sobre o sofá, sozinha, o corpo coberto de umidade. Lynn olha fixamente o teto. Chiara sai do banho, está vestida.

– São quase sete – diz.

Chiara pega o dinheiro que está em cima da mesa.

– Você me liga de novo?

– Claro – diz Lynn.

– Sábado que vem?

– Sim.

– Tchau.

– Tchau.

– Como foi? – grita Lynn, mas a porta já está fechada, Lynn está sozinha e o dinheiro se foi, mas Chiara não pediu *mais* dinheiro, embora tenha ficado mais tempo, ficou quase uma hora a mais, ela o fez porque quis, pensa Lynn, ela também deve ter gostado, do contrário por que teria ficado tanto tempo, deu prazer a ela, deve ter dado prazer a ela, senão ela teria dito pague mais tanto, uma hora inteira grátis, pensa Lynn e se volta contra a ideia de desconto, contra a ideia de propaganda, contra a ideia de serviço ao cliente, contra a ideia de que o cliente tem que estar satisfeito da primeira vez, a cabeça de Lynn esperneia com todas as forças contra suas ideias, não pode ser, não depois do que aconteceu. E ela sabe que voltará a fazê-lo, tem de fazê-lo, ela sabe que encontrou algo. Todo sábado, pensa Lynn, eu vou fazer isso todo sábado.

Repetição constante de movimento. Mergulho do pano de limpeza. Bater. Esfregar. Lynn se ajoelha, cospe no chão do banheiro, espalha devagar o cuspe com o indicador, pega o pano de chão, mergulha-o no balde, espuma no tecido cor de rato, Lynn o torce devagar, esfrega no chão uma, duas, três vezes, água espirra para todos os lados, nos seus joelhos, ela revolve o pano com a mão, acaricia o chão, preferiria despir os trajes de faxina e se ajoelhar nua ali, sacode o frasco com o produto de limpeza, sacode até que o pulso lhe dói, bafeja o espelho, percorre o espelho com a língua, borrifa-o por inteiro, faz o pano chiar sobre sua superfície, se ajoelha na banheira, limpa, mata bactérias, bacilos, transforma sujeira em nada.

Na terça ela está deitada embaixo da cama de uma mulher doente, gripe de verão, ela tosse, espirra, assoa o nariz, de vez em quando geme. Sua testa deve estar pálida. Algo chia, a mulher bebe, respira pela boca, assiste a tevê. Isso é tudo o que ela faz.

Raios azulados caem no solo. A temperatura amanhã ficará entre 20 e 26 graus. O vento refresca. Frentes quentes se alternam com frias. Uma massa de nuvens se desloca.

8

Lynn está diante do espelho e olha seu documento de identidade, que colou nele. Linda Zapatek, pensa ela, sou eu. Quarta-feira é minha folga, quinta-feira telefonar para minha mãe, sexta-feira terapeuta.

Sábado, Chiara.

Para pagá-la Lynn vende o laptop e o aparelho de som.

Segundo sábado.

Terceiro sábado.

São as pequenas coisas que fascinam Lynn. A distância entre a minúscula marca de nascença e o umbigo. O brilho dos lábios depois que desaparece o vermelho-cereja. Esse sabor de amêndoa e coco atrás da orelha de Chiara. Como Chiara faz mmmm quando afasta a boca do corpo de Lynn. O arranco inesperado quando ela puxa com força os cabelos de Lynn para trás. A insinuação de uma mordida no pescoço. A linha de saliva que Chiara espalha sobre o seio de Lynn. As mãos de Chiara, que por vezes nem chegam a tocar a pele de Lynn, apenas o ar acima da pele, fazendo com que os pelos se levantem na direção de Chiara.

Elas ficam deitadas lado a lado, a colcha do sofá foi retirada. Chiara não fuma. Lynn fuma.

– Foi difícil, quer dizer, foi um sacrifício?

– Está louca?

– Existem pessoas para quem isso significa um sacrifício?

– Eu já disse que escolho meus clientes.

– Clientes?

– Clientes, não fregueses.

– Eu quero dizer, eu também sou uma cliente?

– Bem, sim, uma cliente especial, de certa forma.

– Quanto especial?

– Muito especial.

– Mas você só esteve três vezes comigo.

– Isso a gente já percebe na primeira vez.

– O quê?

– Você não percebe?

– Por quanto tempo ainda você quer fazer isso?

– O quê?

– Isso.

– Com você?

– De um modo geral.

– Em algum momento ficamos velhas demais.

– E então?

– Sei lá.

– Sumir?

– Para onde?

– Caribe?

Chiara sorri, cansada.

Mais do que tudo Lynn gosta das conversas com Chiara. Na verdade são apenas fiapos de conversa. Perguntas, respostas. Lynn ouve o tom da voz de Chiara e tenta deduzir a partir dele o que Chiara pensa verdadeiramente, tenta lançar pontes entre as palavras e seu significado. Chiara fala sério, mente, é ironia, é escárnio secreto, é desprezo disfarçado, é inclinação sincera, proximidade, distância, alheamento, intimidade, Lynn se enreda na teia das possibilidades. Observa a boca de Chiara: quando ela fala algumas palavras Lynn vê os dentes, quando fala outras, apenas os lábios, às vezes se poderia pensar que Chiara vai abrir um sorriso, mas no último momento o sorriso é desfeito e uma nova palavra se forma, sua boca é como um palco em que sempre aparecem novos atores, e às vezes Lynn gostaria de se sentar lá atrás, na faringe, para observar os atores antes da entrada em cena, ver através deles.

– A propósito – diz Chiara –, terça que vem vou voltar ao Eden. O sujeito telefonou.

– Que tipo de sujeito ele é?

– Não faço ideia.

– Quarto 304?

– Exatamente.

– Já te bateram alguma vez? – pergunta Lynn.

– Me passe os sapatos.

– Sábado que vem?

– Na mesma hora?

– No mesmo local.

– Fico feliz.

– Tchau.

– Tchau.

Domingo sozinha. Lynn não está de folga. Também aos domingos há hóspedes no hotel, principalmente aos domingos, não homens de negócios, mas gente em férias na cidade, convidados de algum casamento, adeptos do spa. Lynn sente uma inquietude íntima. Apenas a faxina a entorpece, entorpece os seus pensamentos, as imagens que sempre querem retornar, a recordação da pele, das mãos, das palavras de

Chiara. Há muito que Lynn começou a desempoeirar sistematicamente os colchões, arranca-os das camas e os golpeia com um batedor de tapetes, nuvens de pó são expelidas pelo forro, ela limpa a cama por dentro, arrasta os colchões de volta ao lugar e vê como o pó baixa preguiçosamente. Enquanto isso fica junto da janela e fuma um de seus seis cigarros diários – apenas seis, sempre, nem mais, nem menos, toda manhã Lynn enfia seis cigarros num maço vazio de Marlboro –, fica junto da janela, então, e fuma com o rosto voltado para o interior do quarto, supervisiona o quarto para ver se ainda acha algo que passou despercebido. A pasta de escrever sobre a mesa: até esse momento Lynn sempre a erguera para limpar o tampo da mesa embaixo dela, mas agora limpa também a pasta por baixo, limpa o tampo por baixo, limpa os assentos da poltrona e da cadeira por baixo, se ajoelha diante da mesa e passa um pano molhado sob os pés da mesa, por baixo do pedestal do abajur também, a cama é pesada demais, ela tenta levantá-la mas não consegue, e por um breve momento pensa em chamar ajuda, o porteiro e o ascensorista, para suspender a cama, mas deixa de lado a ideia, iriam rir de mim, pensa Lynn. Retira as gavetas do criado-mudo e as limpa por baixo, deita-se no chão e limpa o armário por baixo, e, enquanto faz tudo isso, pensa, é importante que eu o faça, é preciso atacar a poeira de frente, é preciso tirar a poeira de onde quer que ela apareça e não é porque não a vemos que ela não está lá. Ajoelha-se na soleira da porta e examina o carpete e espera que ele esteja solto para que o possa enrolar pedaço por pedaço e aspirar o chão nu, mas o carpete está firmemente colado, e Lynn imagina tudo o que pode estar escondido embaixo do carpete, e se lembra de quando se mudou para seu pequenino apartamento, há anos, e de como arrancara placas de carpete marrom, fedorentas, que quase se esfarelaram entre seus dedos, e de como surpreendera uma gorda aranha que tinha se escondido embaixo do carpete e tentou fugir, mas não foi longe, porque Lynn atirou um dos farrapos marrons de carpete em cima da aranha e imediatamente pulou sobre ele e o pisoteou até matar a aranha, e o terapeuta disse que a aranha era um símbolo que representava a mãe, a relação com a mãe, e Lynn disse que aquilo era ridículo, ela não tem nenhum medo da mãe, ela tem medo de aranhas, uma aranha é apenas uma aranha, o medo de aranha é apenas medo de aranha, e não medo da mãe, é preciso parar de projetar significados às coisas e aos bichos, e ela, Lynn, telefona para a mãe toda quinta-feira, que outra mãe poderia dizer que a filha lhe telefona uma vez por semana, isso é mais do que se poderia esperar. O terapeuta balançou a cabeça, e aquele foi exatamente o momento, a única vez em que Lynn atacou o terapeuta, dizendo-lhe para parar de balançar a cabeça. E agora, enquanto Lynn está ajoelhada junto da porta e tenta levantar o carpete, sem o conseguir, ela de qualquer modo aproveita a posição para limpar a superfície inferior da porta de madeira, enrolando um pano em torno da lâmina de uma faca e enfiando-a no espaço mínimo que há entre a porta e o chão, e Lynn retira dali um pano com uma mancha negra, uma visão que estranhamente a alegra e acalma, e ela lava o pano no balde e repete o processo até que o pano finalmente fique branco.

No domingo azul-pálido Lynn não quer de modo algum voltar muito cedo para seu apartamento, porque no sábado se esqueceu de locar um filme, e assim ela fica até as oito no restaurante e limpa o lado de baixo de todas as cadeiras, poltronas, mesas. Depois disso tira o uniforme e vai ao cinema, onde assiste a um filme que não a interessa especialmente. Só quando alguém se veste com pressa e arranca da jaqueta um botão que voa pela sala de estar e desaparece, só então Lynn fecha os olhos e imagina onde o botão terá ido parar, se debaixo do armário ou debaixo da cadeira ou na fenda rangente da poltrona de couro ou sob o canto da passadeira, só então Lynn pouco a pouco se acalma, só quando imagina todos os lugares onde iria procurar o botão se não estivesse aqui, na poltrona do cinema, e sim lá, no filme, atrás da tela.

9

— Lamento não ter muito tempo para você – diz Heinz na segunda.

– Tudo bem.

– Tem sempre algo para fazer aqui.

– Eu entendo.

– Estamos satisfeitos com você. Seus quartos são os que os hóspedes mais elogiam. Um deles disse que são tão limpos que se poderia comer no chão deles, nota dez, nenhum reparo a fazer.

– Fico feliz.

– Você sai cada vez mais tarde? Faz hora extra?

– Sim, com prazer.

– Por quê? Elas não são pagas.

– Que vou fazer em casa?

– Você limpa até os quartos desocupados?

– Se não limpar, eles se deterioram.

– Mas você não precisa limpá-los *todos os dias*.

– Mas se eu tenho tempo...

– Vai viajar? Logo você terá férias.

Lynn se lembra vagamente da reunião com a supervisora e as outras camareiras, bem no início, quando fora discutido o cronograma de férias. Lynn dissera que não precisava de férias, que gostava de trabalhar, as outras camareiras reviraram um pouco os olhos, mas a supervisora exigiu que Lynn lhe desse uma data, Lynn deu de ombros e indicou uma data, a mais remota possível. Não se lembra mais qual.

– Em oito semanas – diz Heinz, como se tivesse adivinhado os pensamentos de Lynn. – Então, que vai fazer?

– Não sei.

– Vai viajar?

– Quem sabe.

– Faria bem a você. Sair um pouco daqui. Você trabalha demais.

– Hum.

– Então, para onde?

– Caribe, talvez.

– Parece uma boa ideia.

Na terça, Lynn está sentada no saguão. Do saguão ela enxerga a recepção. O quarto 304 não está ocupado, o cliente de Chiara ainda não chegou. Lynn espera. Ninguém percebe que ela está esperando. Ninguém nem mesmo nota que ela está ali. Só às seis ela deixa seu posto, toma o elevador, sobe, abre o quarto 304 ainda intocado, fecha a porta e se deita embaixo da cama. O homem chega às oito. Ao entrar, ele termina uma ligação e fecha o celular. Então tira a roupa e vai para o banho. O jato da ducha. Lynn deixa seu esconderijo mais uma vez. Sobre a mesa está o celular, uma bolsa, uma aliança com a gravação *Silvia e Ludwig*, uma data, já faz dez anos. Lynn remexe a bolsa. Encontra um retrato de duas pessoas: homem, mulher. Este é ele, pensa Lynn. E esta: sua mulher. Então ela coloca tudo no lugar e engatinha de volta para baixo da cama. Logo Chiara bate, o homem abre a porta para ela, ela entra no quarto e começa com a auto-humilhação. Diz ao homem o que ela é, o que ela quer, o que ela precisa, o que ele deve dar a ela. E Lynn está lá, desconectada do que acontece. Desconectada, ela pensa. Se desconectamos a entonação das frases, restam palavras que poderiam tocar as pessoas: ser, querer, precisar, dar.

É tudo diferente da primeira vez.

Lynn está ali, imóvel.

O que acontece acima dela a deixa fria. As imagens de Lynn embaixo da cama são entediantes e preguiçosas. Falta-lhes o frescor do intocado. Elas se alimentam do visto, não do imaginado, seguem a realidade, não a fantasia. Lynn conhece tudo: conhece o homem, sabe como é sua aparência, tronco rijo sob o terno, muito alto, Lynn conhece seu corte de cabelo, sua barba, e Lynn também conhece Chiara, nesse meio-tempo passou a conhecê-la bem, conhece o corpo de Chiara, conhece sua voz.

Lynn está lá, sozinha embaixo da cama.

Suporta o que acontece em cima da cama com indiferença. Não a interessa. E então acaba.

Algo cai no chão ao lado da cama. Lynn estremece de leve. Sua cabeça se vira de lado. Um par de algemas está caído no chão. Chiara tateia em busca delas, a mão de Chiara não quer achá-las, de propósito, longas unhas vermelhas, Chiara continua a tatear, seu tronco escorrega da cama, cabelos caem vítimas da força da gravidade, e de repente Lynn tem diante dos olhos o rosto de Chiara de ponta-cabeça, vê um crânio que quase toca o tapete, vê narinas abertas sobre as quais balança uma correntinha, vê o lábio inferior para cima e o lábio superior para baixo, vê uma testa lisa e um queixo franzido, vê olhos arregalados. Lynn põe o dedo sobre os lábios.

– Que foi? – pergunta o homem.

– As algemas – diz Chiara e joga o corpo de volta para cima da cama.

Lynn pensa: ela não me entregou, ela poderia ter me entregado, mas não o fez, eu disse a ela que me deito embaixo da cama, no Eden, ela não acreditou, ela olhou embaixo da cama apenas para se convencer de que eu tinha mentido, mas eu disse a verdade. A verdade: que palavra feia. Uma palavra tão grande, dia a dia nos esforçamos por destroçá-la, por aniquilá-la, por fazê-la em pedaços.

Chiara saiu da cama, tomou um banho e se vestiu. Agora pega o dinheiro de cima da mesa e se despede com dois beijinhos, talvez no rosto do cliente.

– Você tem uma amiga? – pergunta o homem.

– O quê?

– Alguém que possa trazer com você da próxima vez?

– Alguma preferência?

– Aceito surpresas.

– E quando?

– Eu telefono.

– Claro.

– Tchau – diz Chiara.

– Tchau – diz o homem.

– Tudo certo – diz Chiara.

– O quê? – pergunta o homem.

– Nada – diz Chiara.

Lynn prendeu a respiração.

Tudo certo.

O homem vai para o chuveiro.

Lynn sai para o ar livre.

Ela não para no corredor. Tomou uma decisão, uma louca decisão. Algo a obriga a isso. Algo que tem a ver com a grande palavra verdade. Como se a palavra fosse um lobo que a persegue e cerca e empurra para o canto e arreganha os dentes e diz por mim você não passa, por mim não. Lynn olha o relógio, ela tem uma suspeita, sabe que é apenas uma suspeita, mas se agarra a ela e espera não estar enganada. Sai do Eden pela porta de trás, sem no entanto dobrar, como de costume, na Maria-Hilf-Strasse, mas contorna o hotel e volta para a entrada principal. Em frente ao hotel há um beco escuro onde ela pode se esconder, ninguém vai vê-la, pode ficar ali e esperar, é uma caverna, a boca de uma baleia. Nesse meio-tempo, Lynn pode esperar sem problemas. Aprendeu a esperar, esperar por pessoas que buscam muito lentamente seu refúgio na noite. Que falam consigo mesmas e grunhem e assistem à tevê e bebem água. E enquanto está lá e espera, Lynn pensa na aliança, *Silvia e Ludwig*, pensa na mulher do retrato, pensa que Silvia está em casa sem saber que sua vida é muito diferente do que ela acredita.

O homem deixa o hotel. A suspeita de Lynn se comprova: ele não pernoita no Eden, ele alugou o quarto apenas por aquelas horas. Deve ser rico. Dinheiro não significa nada para ele. Não uma garota das ruas, mas Chiara, não um hotel de alta rotatividade, mas o Eden. O nome do homem é Ludwig Maurer, segundo o documento. Ludwig, diz Lynn na noite. Ludwig, Ludwig Maurer. Tudo acontece como num filme, pensa Lynn, como tantas vezes eu já vi, é exatamente assim que deve acontecer, eu sei o que tenho de fazer e que frase tenho de dizer, sei como os atores pronunciam a frase que tenho de dizer e por isso não será difícil fazê-lo. Alguém foi buscar o carro de Ludwig no estacionamento do hotel. O velho Kunz desce dele em seu uniforme vermelho, entrega as chaves a Ludwig e aceita discretamente uma gorjeta. Ludwig vai embora, Lynn entra em um dos táxis que estão de prontidão diante do hotel e diz a sua frase de filme:

– Siga o BMW azul.

O taxista bufa pelo nariz.

– O que significa isso?

Lynn se cala, o taxista balança a cabeça e acelera. Ludwig Maurer, esse nome, pensa Lynn, esse nome idiota. Quando Ludwig pega uma via expressa, para fora da cidade, o motorista mostra o taxímetro e diz, uma perseguição dessas pode custar uma boa nota quando não se sabe onde vai dar. Lynn olha fixamente através do para-brisa, como se pudesse segurar Ludwig com o olhar. Depois de um tempo seus olhos se cansam. Ela se recosta no assento. Quando fecha os olhos é como se mergulhasse num mundo subaquático. Só quando está escuro diante dela, nela, é que vê as coisas como são.

O taxímetro registra 22 quando o motorista faz Lynn abrir os olhos. Ludwig Maurer passa pela placa amarela com o nome de um subúrbio. O BMW se aproxima de uma casa. No andar superior há luzes acesas. Ludwig faz a curva para entrar, a garagem se abre automaticamente, o BMW desaparece. Ludwig não volta a aparecer, mas novas luzes se acendem. Lynn vê vultos detrás das cortinas.

– Vai passar a noite inteira aqui? – pergunta o taxista.

Nesse ínterim, ele estacionou à direita.

– Só mais um momento – diz Lynn.

– Está correndo – diz o taxista e aponta com o queixo para os números verdes à sua frente.

Depois de dez minutos uma mulher, deve ser Silvia, sai na sacada, ela veste um roupão, seus cabelos são curtos. Sopra fumaça na noite e pisca na escuridão. Lynn não sabe se Silvia Maurer pode ver o táxi lá de cima. O poste mais próximo fica um pouco afastado. Lynn espera um breve momento. Então diz ao taxista que volte. Os faróis se acendem, o motor ronca. Silvia, Lynn pode ver claramente, acompanha o táxi com os olhos e vai estranhar, pensa Lynn, um táxi, aqui, a esta hora, algo está errado.

– E agora? – pergunta o taxista. – Para onde?

– Vamos voltar. Kohlhaldenstrasse, 7. Conseguimos isso por cinquenta?

– Pode ser que dê.

Os cinquenta vão me fazer falta, pensa Lynn. No sábado, quando pagar Chiara. Preciso empenhar meu relógio.

O taxista resmunga.

– O quê? – pergunta Lynn.

– É mesmo uma via-crúcis – diz o homem.

– O que é uma via-crúcis?

– Tudo – diz ele.

10

Na quarta-feira a infinitude do dia livre. Faxina no próprio apartamento, cansaço, dormir, dormir, dormir, à tarde na casa de penhores e agora? Procurar Silvia? Dizer-lhe a verdade? Não, pensa Lynn, não hoje, não agora, estou muito cansada ainda, mais tarde, mais tarde, qualquer hora, outro dia.

Quinta o telefonema para a mãe, ritual. Lynn bebe vinho, sentada na poltrona, brinca com o telefone, sente um aperto, sabe que as conversas são sempre iguais, mas não é pela mãe que ela o faz, é Lynn mesma quem quer, quer ouvi-la, a mãe, quer descobrir algo e no entanto sabe que não vai descobrir nada, espera sempre por uma frase diferente das frases que já conhece bem demais, e sabe que não haverá essa frase, sua esperança é dúvida e desespero ao mesmo tempo, mas *deixar* de fazê-lo ela não pode.

– Mãe?

– Linda.

– Tudo em ordem?

– Que bom que você ligou.

– E o coração?

– Ainda bate.

– Logo vai ser seu aniversário.

– Eu sei.

– O que você quer?

– Que você venha.

– Eu preciso trabalhar, mãe.

– Que bom que você voltou a trabalhar.

– O que você faz o dia inteiro? – pergunta Lynn.

– Eu? Não muita coisa.

– O que você leu ultimamente?

– Ah, uma história de amor.

– Você sai?

– Não.

– Por que não vai ao cinema? Com Ilse.

– Com Ilse?

– Por que não?

– Se você acha que devo.

– Está passando um filme. Sobre a Terra. Um documentário. Dizem que é muito bom. Natureza, paisagens...

– Bichos?

– Claro.

– E você? – pergunta a mãe.

– Hum.

– Sem novidades?

– Hum.

– Lançaram um novo produto de limpeza – diz a mãe –, eu mesma já experimentei. Especial para você. Tem perfume de verão, o dia todo, eu pensei, num hotel, então, o hotel inteiro cheiraria a verão, você precisa comprar, você precisa experimentar.

– Vou fazer isso, mãe.

– Como você remove as manchas de urina?

– Com tabletes.

– Que tipo de tabletes?

– Eles se dissolvem no vaso, são um produto químico.

– De que tamanho eles são?

– Igual aos de uma máquina de lavar louça.

– De que fabricante?

– Não sei, vou olhar e depois digo para você.

– E o espelho?

– Que tem o espelho?

– Você usa papel de jornal nele?

– Rodinho de limpar janelas.

– Não ficam marcas?

– Eu sempre enxugo o rodinho com um pano.

– E os vasos? Tantos vasos estranhos! Não é nojento?

– Eles não são tão usados assim.

– Mas tem gente porca. Não tem também no hotel, gente muito porca?

– Nesse caso eu começo com a escova. Não é problema algum.

– E os pingos de urina no chão do banheiro?

– Não são problema.

– Você tem que limpar as janelas também?

– Não, uma firma faz isso.

– De quanto em quanto tempo?

– A cada duas semanas.

– E quando um hóspede bota os dedos no vidro?

– Então eu mesma limpo.

– Quer dizer que você limpa os vidros, então?

– Só de vez em quando.

– Como você faz para ficarem limpos?

– Limpa-vidros. Uma tampinha num balde de água.

Limpa-vidros, pensa Lynn, não sobra nenhuma gordura, nenhum sinal, parece que os vidros nem existem, como se pudéssemos passar a mão através deles, pular sem estilhaçá-los.

– Ouça – diz Lynn –, preciso desligar.

– Você me telefona de novo?

– Claro.

– Você não quer saber a marca do produto de limpeza?

– Que produto de limpeza?

– O que eu experimentei.

– Ah, sim, claro.

– Brisa de verão.

– Obrigada.

– Tudo certo.

– Tudo certo.

Lynn aperta o botão.

A sexta-feira é vermelho-berrante, redonda como uma bola, pula o tempo todo, não fica quieta, em toda parte agitação, preparação para o fim de semana, às sextas as pessoas são apressadas, mais correm que andam, se alegram pelo que está por vir, bebem o tempo apressadas, o entornam, que venha logo a noite, para se fazer o que se quer fazer, e finalmente deslizar da noite de sexta para o sábado, com a perspectiva de dois dias livres, dois dias de interrupção da vida como a conhecemos. Às sextas-feiras Lynn vai ao terapeuta, Wilhelm Schlick. Que nome feio, pensa Lynn. Na sexta-feira Lynn inventa um sonho. Gosta de fazer isso. Inventa os sonhos sempre de modo a deixar Schlick satisfeito.

Sábado preto-aveludado, as pessoas se embrulham na diversão, estão enfiadas no lazer até os joelhos, fazem o que querem fazer, guardaram o dever no armário. No sábado, Chiara. Se Lynn soubesse o que é verdadeiro, tudo seria melhor.

– É verdade, então? – diz Chiara.

– O quê?

– Você se deita embaixo das camas?

– Foi o que eu disse.

– Eu pensei que era mentira.

– Por que você não me entregou?

– Por que eu faria isso?

Lynn se cala.

– E você? – pergunta Chiara.

– O quê?

– Se deita sempre lá?

– Toda terça-feira.

– E o que você ganha com isso?

Lynn põe um dedo nos lábios de Chiara. É a primeira vez que faz isso. Elas param de falar. Depois que acabam, ficam lá deitadas. Chiara fechou os olhos.

Tudo certo, pensa Lynn.

Tudo certo.

Chiara sabia.

Devo ter falado de minha mãe a ela, pensa Lynn. Quando, não faço ideia. Por que fui falar da minha mãe para ela? Nunca falei da minha mãe para ninguém.

Tudo certo.

Chiara abre os olhos.

Ambas se olham.

Nenhuma abaixa o olhar.

Depois de algum tempo Chiara se levanta e sai do apartamento. De passagem recolhe o dinheiro, como sempre. Em vez de tudo certo Lynn ouve o tchau de sempre. Então fica sozinha.

Com ela, pensa Lynn.

Por que não?

Quem sabe ela vem comigo?

Se tenho de viajar, então que seja com ela. Duas semanas de férias, deve dar, ela vai dizer *sim* se eu perguntar, Chiara não tem nada a perder, ela só tem a ganhar, eu pago tudo, para ela seria um trabalho, Chiara seria burra de recusar, teria de me odiar muito para dizer *não*, mas não pode ser que de tudo isso que Chiara faz *nada seja verdadeiro.* E se a gente viajar em férias a gente vai se conhecer, eu vou *me* conhecer e Chiara vai *se* conhecer. E a gente vai ficar diante do espelho e não vai mais precisar de documentos.

11

Domingo azul-pálido, segunda branco-sujo. Terça-feira cor de casca de ovo, quarta-feira marrom-acinzentado, quinta-feira azul-cobalto, sexta-feira vermelho-berrante, sábado preto-aveludado, domingo sozinha, segunda-feira Heinz, terça feira embaixo da cama, quarta-feira folga. Agora, hoje, quarta-feira, eu poderia ir procurar Silvia Maurer e lhe dizer a verdade. Eu poderia invadir sua casa e dizer eu sei algo que a senhora não sabe, e quando eu lhe disser sua vida vai desabar como um castelo de cartas. Mas Lynn não faz isso. Algo a contém. Não agora. Não ainda. Mais tarde, talvez. Em vez disso Lynn leva seu Ford vermelho abandonado sem placa para o negociante de carros na esquina, seu Ford materno, como Lynn o chama, presente da mãe no ano passado, ficou grande demais para mim, disse a mãe e comprou um Gol. Quinta-feira telefonema para casa, sexta-feira terapeuta, sábado Chiara.

Primeiro sábado.

Segundo sábado.

Terceiro sábado.

Lynn não pergunta a Chiara.

Seria apenas uma simples pergunta: férias, juntas, você topa? Mas Lynn tem medo do não. Todas as vezes, antes de Chiara aparecer, Lynn planeja perguntar a ela. Todas as vezes quando vai começar perde a coragem.

Quarto sábado.

Lynn tirou folga. Chiara toca às doze. Vai embora às duas. Lynn veste a primeira coisa que aparece na sua frente e a segue. Lynn não sabe por que o faz, mas faz. Chiara vai até o ponto de táxi, na esquina da estação rodoviária, mas olha para cima, para o ar, para o céu, para o sol, um dia de fim de verão, muda de ideia, passa pelos táxis, tira o casaco leve, dobra-o sobre um braço, continua a andar, Lynn sempre atrás dela, vê o olhar que um taxista lança sobre as pernas de Chiara e Chiara vai em direção ao parque municipal, atravessa a Leopoldstrasse com o sinal fechado para pedestres, pois não vem nenhum carro, entra no parque, para por um breve instante e se apoia no tronco de uma árvore só com a mão direita, fora isso não acontece nada. Por que, pensa Lynn, eu não posso seguir também os seus pensamentos? Me enfiar dentro dela e saber o que se passa com ela? Talvez ela pense em mim, em Lynn Zapatek, eu ainda não perguntei pelo verdadeiro nome dela. Chiara continua a andar. Lynn mantém distância, não a perde de vista, se mantém tão invisível quanto possível. No Café Hamilton Chiara se senta e espera, endereço nobre, ela está sozinha lá, Lynn pode vê-la pela janela, pode ver o rosto de Chiara, pode ver como ela está pensativa, Lynn está atrás de uma coluna de anúncios publicitários e contempla o perfil de Chiara, ela sorri, ela sorri desdenhosamente, põe muito açúcar no café, algo se passa com ela. Logo um homem de terno se aproxima, pede desculpas, pelo atraso, com certeza. Chiara se levanta, o homem paga, Chiara se pendura em seu braço, ambos deixam o café, o homem abre a porta de um conversível, Chiara entra nele e se vai.

Lynn fica ali durante algum tempo, imóvel.

Agora.

Agora é o momento certo.

Vai para a estação rodoviária, espera, embarca no ônibus em direção ao subúrbio. A tarde está começando, cai amarela sobre os campos, então a via expressa que Lynn conhece, que ela já percorreu uma vez, com o táxi, por que só agora, pensa Lynn, por que esperar tanto, por que não já daquela vez, no dia seguinte, no dia de folga: Silvia, eu preciso lhe dizer a verdade. Lynn se deixa levar para dentro do lugar. Ela desce na estação rodoviária, come qualquer coisa num café na Schneeweihergasse. Só então se põe a caminho. São quatro horas da tarde. Lynn vai decidida na direção da casa da família Maurer, Ludwig e Silvia Maurer, hesita apenas um momento antes de girar a maçaneta do portãozinho do jardim e tomar o caminho saibroso e finalmente fazer o que planejou. Não sabe se Silvia está em casa. E se Ludwig abrir?

Lynn toca a campainha. Como resposta, latidos de cachorro. Então gritos, os latidos cessam. A porta se abre. Silvia é um pouco diferente do retrato, os cabelos estão tingidos de vermelho, sardas, chinelos, calças largas, vai pelos quarenta, talvez, esbelta, esportiva, Silvia sorri, não é hostil, se o cão não puxasse tanto a coleira talvez fizesse um gesto convidativo para ela entrar na casa, mas talvez eu esteja enganada, pensa Lynn, quem é que convida uma estranha que vem da rua para entrar?

– Posso ajudá-la? – pergunta Silvia.

O cão quer saltar, Silvia o segura firme pela coleira.

Lynn diz:

– Desculpe, eu procuro a Schneeweihergasse.

– Você se enganou, um momento, vou lhe mostrar.

Silvia sai da casa com o cão, conduz Lynn pelo caminho do jardim, rododendros, mostra com a mão por cima da cerca e indica a direção, explica o caminho, o cão saltita na grama, fareja suas próprias demarcações, Lynn tenta imaginar um modo de criar coragem para dizer as palavras decisivas que simplesmente destruiriam uma vida completamente ordenada. Eu preciso de tempo, pensa Lynn, eu preciso de tempo.

– Olhe – ela diz.

– Sim?

– Não me sinto bem, talvez se pudesse usar seu toalete só por um momento, eu estou...

– Claro – diz Silvia. – Venha comigo.

E as duas entram na casa, seguidas pelo cão.

No banheiro social, Lynn anda para lá e para cá, esfrega as mãos, pega a toalha bruscamente, enfia o dedo nela, umedece a ponta com água morna e ataca os cantos, os pontos difíceis e, enquanto limpa sem nenhum produto, se acalma e repassa na cabeça as possibilidades que a esperam detrás da porta se ela fizer o que veio fazer. Silvia, pensa Lynn, não vai acreditar em mim, vai me levar com delicadeza mas com firmeza até a porta, não, ela não vai acreditar em mim, como poderia acreditar em alguém que diz se deitar embaixo da cama de estranhos, não, ela só vai acreditar em mim se ela mesma ouvir, se ela mesma se deitar embaixo da cama, quarto 304, e lá, Silvia, embaixo da cama, é duro e por isso agradável, lá, embaixo da cama, é estreito e por isso largo, lá, embaixo da cama, você vê coisas que nunca viu, lá, embaixo da cama, se revela o avesso do mundo, e antes de deitar embaixo da cama eu sempre pensei que homens e mulheres se beijassem quando acordam de manhã, mas agora eu sei que um diz para o outro: escove os dentes, você está com mau hálito.

Lynn ouve batidas na porta, firmes, altas.

O grito de Silvia: "Tudo em ordem"?

Lynn aperta o botão da descarga, pendura a toalha de volta, abre a porta, sai para o corredor, Silvia está ali.

– Você ficou uma eternidade lá dentro – diz ela.

– Desculpe-me – diz Lynn.

– Estou esperando uma visita.

– Já estou indo.

Nos filmes seria o momento em que o cão finalmente saltaria em Lynn, e Lynn cairia de costas no chão, Sílvia ficaria assustada e iria apalpá-la cuidadosamente, interrogá-la, preocupada, não a deixaria partir, iria levá-la para o sofá, preparar um café, medicá-la, prender o cão, e as duas mulheres se aproximariam, passariam a tarde juntas, conversariam sobre suas vidas, voltariam a se encontrar, talvez nas quartas-feiras, primeira quarta-feira, segunda quarta-feira, terceira quarta-feira, por tanto tempo que a quarta-feira deixaria de ser um dia livre para se encher com a confiança de Silvia, e só então, algum dia, Lynn iria dizer o que queria dizer desde o começo, só então Silvia também estaria pronta para se deitar embaixo da cama, quarto 304, mas agora, aqui, na realidade da casa dos Maurer, nenhum cão salta, ele apenas arfa indisciplinado, e não resta nada a Lynn senão sair da casa, agradecer e se despedir de Silvia Maurer sem nada dizer daquilo que planejava.

E Lynn está sozinha na rua.

Quer chamar um táxi, mas claro que aqui, na periferia, não há nenhum, e assim ela volta, caminha devagar e não percebe que caminha no meio da rua, quase sem tráfego, e então uma buzina soa um pouco à frente, e um carro precisa parar, prata metálico, através do para-brisa um homem jovem ergue as sobrancelhas, tira a mão do volante e faz um gesto de que-significa-isso, Lynn vai para o lado, o carro passa, Lynn o acompanha com os olhos, ele para diante da casa de Silvia Maurer, o homem desce, atravessa com passos rápidos a rua, empurra o portãozinho do jardim e isso é tudo o que Lynn pode ver, mas de repente ela pensa, talvez seja tudo diferente do que eu acreditava, talvez a vida de Silvia não seja como eu a imaginei, talvez agora mesmo, na porta, ela tome o homem em seus braços e o arraste para dentro de casa e prenda o cão na despensa e se alegre com um fim de semana sem aliança. Lynn continua a andar em direção ao centro. Na estação rodoviária ela entra no ônibus, que permanece ainda alguns minutos parado antes de arrancar.

12

Quinto sábado.

– Tchau – diz Lynn.

Chiara pega o dinheiro sobre o armarinho, volta mais uma vez para junto de Lynn e lhe dá um beijo na testa.

– Seus pais sabem? – pergunta Lynn.

– O quê?

– O que você faz?

– Não.

– Você tem contato com eles?

– Mais ou menos.

– Eles moram aqui na cidade?

– A três horas daqui.

– Você os visita com frequência?

– Duas vezes ao ano.

– E eles visitam você?

– Nunca.

– Como eles se chamam?

– Clemens e Greta.

– E o sobrenome?

– Bartholdy.

Chiara não hesitou um só segundo.

– Você tem irmãos? – pergunta Lynn.

– Não, e você?

– Não.

Silêncio. Muito breve.

– Chiara é seu nome verdadeiro?

– Sim.

– Você já sabe quando vai parar?

Chiara dá de ombros.

– Você faz *escort-service*? – pergunta Lynn.

– Por que quer saber?

Lynn respira alto. Agora seria o momento de perguntar. Pela última vez ela o deixa passar.

– Está vendo o armarinho? – pergunta Lynn.

– O quê?

– Ali em frente, o armarinho pequeno?

– Como assim?

– Você nunca se perguntou como ele para em pé, se só tem duas pernas?

– São quatro.

– Você pode ver todas elas? As quatro?

– Não, só as duas da frente.

– Então como sabe que são quatro pernas, se só pode ver duas?

– Está curtindo com a minha cara?

Não é essa a intenção de Lynn, de jeito nenhum.

Agora ela profere seu monólogo sobre as coisas. Lynn está inteiramente segura de si enquanto fala. As coisas, ela diz, têm personalidade própria. A metade sempre está escondida de nós. A garrafa de refrigerante, o lápis, o abajur, tudo nós só vemos pela metade, só de frente, na diagonal, de cima, mas nunca completamente, nunca por inteiro. As coisas verdadeiras, perfeitas, estão sempre no escuro. Nós somos seres limitados. Quando eu pego a garrafa para beber dela, como é que eu sei que ela tem um lado de trás? Eu apenas imagino o lado de trás. Eu o fantasio. Eu simplesmente parto do princípio de que ele existe. Ajo como se o soubesse com certeza. Nada mais, nada menos.

– Experiência – diz Chiara.

– O quê?

– É tudo uma questão de experiência.

No domingo de manhã Lynn limpa os bancos da sauna, na segunda-feira Heinz lhe diz que não pode mais se encontrar com ela, tenho outra, ele diz, os tempos mudam, na terça-feira, então, apenas um pão com manteiga que cai ao lado da cama, o hóspede o apanha, uma fatiazinha de pepino fica caída sobre o tapete verde, depois de alguns instantes Lynn a pega e a enfia entre os dentes, na quarta-feira Lynn olha fixamente as pontas de seus pés por tanto tempo que os olhos se enchem de água, na quinta-feira a mãe diz que está pensando em comprar um gato, Lynn desliga, simplesmente, na sexta-feira diz ao terapeuta que se sente tão bem como há muito não se sentia, na esperança de que Schlick proponha então podemos terminar com a terapia, mas ele não faz isso, no sábado ela está nos braços de Chiara, os olhos fechados, já acabou, Lynn sente que a decisão de fazer a pergunta finalmente toma conta dela.

– Meu sabor é bom? – pergunta Lynn.

– É de sabonete.

– Eu sempre me lavo antes.

– Sim, seu corpo inteiro tem sabor de sabonete.

– Isso é ok?

– Completamente.

– Existem clientes sujos, eu quero dizer, isso às vezes não é nojento, de algum modo?

– Não, eles têm sempre de se lavar antes.

– Você exige isso?

– É o mínimo.

Silêncio, breve.

– Aconteceu uma coisa – diz Lynn. – Comigo. Eu nunca poderia pensar, eu quero dizer, quando você está aqui, então... Me abrace.

– Olhe, eu preciso ir.

– Fique mais um pouco.

– Eu tenho um compromisso.

– Deixe-o para lá.

Chiara já está vestida, suspira, olha o relógio.

– Se apresse – diz.

Lynn não pensa muito.

Está ali como numa torre.

Deixa-se cair.

– Duas semanas – diz Lynn.

– O que você quer dizer?

– Eu pago tudo para você. Vamos dizer: férias. Só nós duas. Como se fôssemos amigas. Eu quero conhecer você.

Chiara se cala.

– O voo parte sábado que vem. Temos que estar às oito na estação.

– Você já tem as passagens? – pergunta Chiara.

– Fui a uma agência de viagens.

– Mas em nome de quem?

– Bartholdy. Você só precisa trazer seus documentos.

– Eu...

– Não. Não diga nada. Apenas pense nisso.

Chiara assente com a cabeça. Não fala nada. Só: "Tchau".

– Tchau.

A porta faz um clique bem baixinho.

Em Lynn há um alvoroço que ela não conhece. Ao mesmo tempo ela está como que paralisada. Já na segunda-feira ela tem que fazer algo. O encontro com Heinz se quebrou como um galho podre. Lynn rompe sua rotina e já nessa noite se deita embaixo da cama, quarto 308. Esta é a última semana, pensa Lynn, esta é a última semana antes da viagem. Ela atira longe todo cuidado: não tem que decidir, não tem que planejar, sabe que passará todos os dias aqui, cada dia embaixo de uma outra cama, os últimos dias antes das férias. Assim, no sábado estará morta de cansaço e dormirá bem no avião. Ela se deita embaixo da cama de um rapaz. Tudo nele é chique. Sapatos de grife, terno de grife, chapéu de grife, mala de grife, sim, até a escova de dentes não é uma escova de dentes comum, e sim um aparelho elétrico, prateado. Perfume caro, bronzeador, suas meias são de seda, os fechos do zíper da maleta se encontram bem no meio, ele coloca os sapatos que tira ao sentar na cama um ao lado do outro, com exatidão, num piscar de olhos encontra sua posição de dormir, não tem que se virar para lá e para cá, não se ouve qualquer rangido do colchão, ele se deita na cama e imediatamente está deitado como tem de ser para adormecer, Lynn não ouve mais nenhum ruído, a noite inteira, nenhum ronco, nenhum som da boca, nem mesmo uma respiração leve, é como se uma máquina tivesse sido desligada, Lynn sente um certo pavor e fica feliz quando a noite termina.

Na terça-feira não vem ninguém. Lynn espera longamente embaixo da cama. Não consegue dormir. Talvez seja lua cheia. Lynn está exausta. Cai numa modorra. Está acostumada a ficar deitada sozinha. Quase sempre fica três horas sozinha ali, às vezes até quatro. Cochila. Fecha os olhos. Uma vez, quando ainda era pequena, penteou um gramado. Levou seu pente para fora, se ajoelhou e passou o pente devagar e regularmente pelos talos curtos da grama, separou um talo do outro e ficou horas engatinhando para lá e para cá, ninguém podia ver nada do que ela fazia, mas foi divertido. Às vezes, quando está embaixo da cama, ela beija o sarrafo de madeira diante de seu nariz. Lynn não pode fazer nada a não ser perseguir seus pensamentos, perseguir os pensamentos, pensa Lynn, como se pensamentos tivessem pernas e passeassem diante de nós e pudéssemos segui-los para ver o que fazem. E ela persegue seus pensamentos na clínica em que esteve, seis meses, recorda o transcorrer dos dias, que afinal a tranquilizou, a regularidade das horas e das coisas que havia para resolver, as reuniões, passando pelos exercícios, pelas refeições e pela conversa em grupo até as noites em seu quarto que ela passou tão tranquila e sozinha como esta noite aqui. Agora ela se arrasta para fora, liga a tevê, volta para baixo da cama, ouve os sons que vêm do monitor: um carro, uma porta bate, passos numa escada. Os sons compõem a trilha sonora para cada imagem, pensa Lynn, como se os produtores de filmes não confiassem nos olhos das pessoas. Não são nem mesmo sons verdadeiros, são sons artificiais, sons produzidos por sonoplastas, sonoplastas que compõem o acompanhamento para cada passo dos atores, para qualquer baque, queda, quebra, até mesmo o galope de cavalos eles podem imitar, para isso existem essas coisas engraçadas que parecem castanholas. E quase nunca há silêncio no filme. Exatamente como em nós, pensa Lynn. Nós todos, ela pensa, somos apenas sonoplastas.

Na quarta-feira Lynn rói as unhas. Maldiz o fato de existirem dias livres. O que há de livre nesse dia, afinal?

Na quinta-feira ela se deita embaixo da cama às sete. Fica inquieta. Na verdade deveria ligar para a mãe em meia hora. Desiste disso. Sabe que a mãe vai ficar preocupada, mas, Lynn pensa, eu telefono quando tivermos chegado. Lynn está deitada embaixo da cama de um homem de terno preto. Durante a faxina ela encontrou um monte de embalagens de chiclete. Nada de cigarros. O hóspede chega cedo: papéis estalam, um plim quando um e-mail é enviado, e um plim quando um e-mail é recebido. Enquanto isso o homem vez por outra fala consigo mesmo. Comigo não, ele diz, comigo não. Quando o celular toca, Lynn ouve a metade de uma conversa, são principalmente números, talvez se trate de cotações da bolsa, talvez uma senha, uma vez o homem diz apenas 24, como resposta a uma pergunta, 24, diz o homem, então há uma pausa, então 311, poderia ser o número do quarto, mas também poderia ter outro significado, pois ele diz a palavra com docilidade, apenas esta palavra, e Lynn não sabe ao certo o que a palavra significa, com docilidade, e a que pergunta essa palavra poderia responder, os pés do homem estão nus, as panturrilhas, ruças, num certo momento ele fica numa perna só e coça a panturrilha esquerda com o peito do pé direito, a sola do pé é recoberta por uma pele calosa, amarelada, e quando o pé retorna ao chão Lynn vê uma unha encravada. O homem desliga e diz Herbert, Herbert. Ele diz bom trabalho, Herbert. Lynn não sabe se ele se refere a si mesmo ou a outra pessoa. Ela ouve um chiado, um borbulhar, então o homem diz a palavra katarupp, uma palavra cujo significado permanece obscuro para Lynn, katarupp, ele diz mais uma vez e se senta na cama, os calcanhares são avermelhados e têm a pele fina, bem ao contrário da sola do pé. Uma tampa de garrafa cai no chão ao lado da cama, o homem estende a mão para baixo, pega a tampa, ele tem um anel em cada dedo, até mesmo no polegar, por um breve momento Lynn sente um impulso de agarrar a mão do homem num ataque súbito, só para ouvir os gritos de pavor, mas se volta, olha para o estrado logo acima, se acalma, respira devagar, respira silenciosamente.

13

Na sexta, faz faxina pela última vez. E enquanto faz a faxina se despede dos quartos. Já conhece os quartos de cor e salteado. Os quartos se assemelham, em todos eles há os mesmos móveis, só os quartos das pontas do prédio são maiores, e as suítes. Mas Lynn não limpa as suítes. Para poder limpar as suítes é preciso subir na hierarquia das camareiras. Dependendo de como a luz cai, as cores mudam. Os quartos voltados para o norte parecem diferentes dos voltados para o sul ou para o leste. O ângulo do sol decide sobre o bem ou o mal. Se o tom pastel é realçado ou se desbota para um cinza pálido. Se o amarelo salta aos olhos ou se mergulha na sombra. Se a trama do tapete é reconhecível ou não. Se as cortinas rebrilham ao sol ou pendem opacas. Se a poeira dança ou permanece invisível. Lynn conhece com exatidão as diferenças entre os quartos. Pouco faltou para que em certa ocasião ela desse nomes a eles, mas isso lhe pareceu esquisito demais. Se tivesse dado nomes aos quartos, o quarto 300 teria sido batizado como Josef. No Josef havia a mancha preta na banheira que há semanas Lynn escovou, antes de perceber que não era sujeira e sim um buraco no esmalte. Um hóspede havia deixado cair algo duro. Lynn chamou imediatamente um técnico e ficou olhando como ele tapou a mancha preta com uma massa resistente. Deu certo, o ponto parecia novamente branco e, a menos que fosse examinado detidamente não seria percebido, mas, por mais que se esforce, Lynn sempre o examina detidamente, e durante a limpeza ela nunca passa ao largo desse ponto, o ponto reparado que esconde uma cicatriz preta. No quarto 301 a cadeira balança, por duas vezes Lynn teve que arrancar pedaços de papel dobrado que os hóspedes colaram sob a perna traseira esquerda da cadeira para que ela não balançasse enquanto escreviam. Certa vez, no quarto 302, ela cortou um fio do revestimento da cúpula do abajur que pendia solto, ninguém sabe disso, mas sempre que limpa o abajur Lynn vê a falta do fio do revestimento no interior da cúpula do abajur. No quarto 303 houve um princípio de mofo quando a ventilação artificial do banheiro ficou sem funcionar por duas semanas, o mofo se aninhou no rejunte acima da banheira e Lynn o combateu com uma solução corrosiva, o que fez com que também uma parte do silicone desaparecesse, claro que tudo ficou limpo de novo, mas durante a faxina Lynn não consegue desviar os olhos da leve depressão que ela produziu. No quarto 304 um hóspede deixou um buraco no tapete, um cigarro aceso que caiu no chão, e Lynn fez o melhor que pôde escovando o buraco, mas não adiantou, e por um momento ela pensou em encobrir a cavidade com tinta a óleo, porém teve medo de piorar ainda mais as coisas.

E Lynn se despede das coisas, das roupas, dos perfumes, medicamentos, sapatos, livros, laptops, pastas, cadernos, lápis, malas, bolsas, chinelos de banho, comida, maços de cigarros e charutos queimados, ela descobre algo que em todos aqueles meses ainda não vira, um aparelho no nicho do espelho, um cortador de pelos de nariz e de orelha, Lynn se despede de estojos de maquiagem e potes de pó, de bilhetes e cartas que ela revira pela última vez, *preciso ver você de qualquer maneira*, está escrito com um coraçãozinho e um número de telefone, e Lynn se pergunta quem quer ver quem e por que e se o que fazem é proibido ou o começo de um relacionamento legítimo. Lynn limpa pela última vez tudo que lhe cai nas mãos, até o lápis de propaganda gravado com o nome do hotel que na maioria das vezes tem de ser reposto porque os hóspedes têm permissão para roubá-lo. Lynn limpa até coisas que não são de sua responsabilidade, mergulha as escovas de dentes comuns em água e depois as seca, limpa a bateria da escova de dentes elétrica que está grudenta porque o hóspede não limpou as cerdas e um pouco da pasta de dentes escorreu pelo cabo até a bateria branca, Lynn limpa o barbeador e o frasco de gel de banho, escova fiapos de tecido do paletó pendurado no encosto da cadeira, limpa a sola dos chinelos de banho e das pantufas, vira uma nécessaire infecta de cabeça para baixo e a limpa por dentro, espera que ninguém note nada e se queixe com a pergunta, por que é que a faxineira tem de fuçar nas minhas coisas, mas Lynn sabe que as pessoas perderam há muito o olhar para as coisas pequenas, só se importam com o que é grande e grosso, com o que se pode reconhecer à primeira vista.

Lynn dá o bolo no terapeuta. Não telefona para ele, não desmarca a consulta, simplesmente não vai até lá, imagina o terapeuta em sua poltrona, naquela repulsiva poltrona vermelha, cuja parte de baixo com certeza nunca foi limpa, Lynn vê Schlick diante de si, balançando a cabeça no vazio, sozinho em sua sala pouco iluminada, uma tartaruga com uma carapaça de poltrona vermelha, sebosa, e enquanto isso Lynn está sentada no saguão, pendurou o uniforme no armário, está lá sentada com suas roupas cotidianas que, quanto mais tempo faz que lá trabalha, mais desconfortáveis lhe parecem, olha os hóspedes que estão ali sentados, que bebem, que estão em pé, que chegam e que partem, tumulto e paz, passos medidos, apressados, e Lynn ouve risos e fungadas, vê pernas cruzadas e pernas abertas feito tesouras, vê sapatos pretos, marrons, altos, baixos, uma última vez relaciona as pessoas às coisas e aos quartos, organiza sua última tabela de ocupação dos quartos antes de terminar sua bebida e se despedir do porteiro e sair do hotel, dando de cara com Heinz que mais uma vez sorri e diz:

– Ainda aqui?

– Sim – diz Lynn.

– Pensei que estivesse de férias.

– Amanhã.

– Já faz três horas que seu turno terminou.

– Ainda havia coisas a fazer.

– E então? Já sabe para onde vai?

– Hum.

– Caribe, não é?

– Hum.

– Sozinha?

– Não.

– Não?

– Não.

– Então?

– Viagem em grupo.

– Para solteiros?

– Hum.

– Aproveite bem.

– Vou fazer isso.

– Você deu um duro danado.

– Hum.

– Divirta-se bastante.

– Obrigada.

Lynn sai do hotel.

Olha para trás ainda uma vez.

Pensa: logo eu mesma vou ser hóspede.

No Hotel Hoboen.

São oito horas. Lynn não pode se deitar embaixo da cama. Não hoje. Não na sexta-feira. Seria muito perigoso? Quem sabe quanto tempo o hóspede vai dormir? No sábado Lynn tem de chegar pontualmente à estação. E assim ela passa a última noite antes do voo em seu próprio apartamento. Assiste a dois filmes. Não saberia dizer quais. Está com os olhos fechados.

14

No sábado Lynn está de mochila na estação, não passa das sete, uma hora de espera ainda, passeia os olhos ansiosamente em torno de si, eu não sou mais eu mesma, agora é um novo começo. São apenas mais alguns minutos. São sete e meia. Ninguém à vista. São quinze para as oito. Lynn crava os olhos no vazio. São três para as oito. Lynn continua ali, sozinha. O trem chega. Nenhum atraso. O trem, pensa Lynn, ainda corre bastante, se poderia facilmente tropeçar na frente dele. Então a locomotiva passa por ela, o trem reduz a velocidade, para, portas flutuam para o lado, mãos fantasmas em ação, desembarque antes do embarque, mas não ocorrem nem empurrões nem trombadas, não há muita gente em trânsito. Depois de dois minutos o trem resfolegou tempo suficiente, as portas sussurram ao fechar, o trem põe sua massa em movimento bem devagar, pontualmente, até demais, Lynn não tira os olhos do relógio.

Nem Lynn nem Chiara estão no trem.

Lynn o acompanha com os olhos.

Nenhuma luz traseira à vista.

Ela sente dor e alívio ao mesmo tempo. Não precisa ligar para Chiara, sabe de qualquer modo o que Chiara vai dizer: sinto muito, Chiara vai dizer, você deve ter entendido algo errado. Sim, é quase como se Lynn ouvisse a voz de Chiara na estação. Tudo bem, diz Lynn, e Chiara pergunta quer dizer que agora não nos vemos mais? Sim, diz Lynn, quer dizer que agora não nos vemos mais. Lá está Lynn na estação, a mochila ao seu lado, com as passagens e dinheiro suficiente para duas semanas de férias no bolso, mas ela sabe que é tarde demais, não apenas para o trem, não apenas para o avião, não apenas para as férias, e Lynn nunca pensou em palmeiras, em paisagem de cartão-postal, nunca pensou em praias sem fim, nunca em águas límpidas, nunca pensou no sol e na luz, não, quando imaginou as férias, com Chiara, Lynn pensou apenas no hotel em que pernoitariam, apenas no quarto do hotel, em toalhas dobradas feito cisnes, nos espelhos, no ventilador, pensou apenas em possíveis manchas no tapete, que ela encontraria e removeria, pensou apenas na poeira, pensou apenas que também durante as férias haveria poeira, ainda que poeira arenosa, imaginou apenas como pediria a Chiara que se deitasse embaixo de sua cama, por uma noite apenas, viu apenas a si mesma, como estaria deitada em cima, na cama, e Chiara embaixo, na sombra, sim, Lynn pensou, eu gostaria que uma vez apenas alguém se deitasse embaixo da minha cama, eu gostaria que uma vez alguém estivesse à escuta de minha vida.

Um homem a toca no ombro.

– Tudo em ordem? – ele pergunta.

Lynn olha para a mochila, para o homem diante de si.

– Aconteceu alguma coisa? – ele pergunta.

Lynn fala, não sabe exatamente o quc, fala para não ter de tomar consciência que tem o rosto molhado como se tivesse chovido, mas a estação é coberta.

– Posso ajudá-la? – pergunta o homem.

– Não, não.

– Você perdeu o trem?

– Estou bem – diz Lynn e não sabe se o molhado em seu rosto vem da dor ou da decepção ou do alívio ou da alegria antecipada de poder retornar ao Eden no mesmo dia.

Lynn olha o relógio e pensa que chegará apenas um pouco atrasada ao trabalho, toma um táxi, salta na frente do hotel, paga o motorista e está estranhamente alegre, como que libertada, e o porteiro diz pensei que você estivesse em férias, e ela diz ah, que férias, mas nesse momento ela vê Heinz, que vai em sua direção e diz apenas uma palavra: não. Pela primeira vez desde que ela trabalha aqui Heinz ergue a voz, ele diz em hipótese alguma, ele não vai permitir, é demais, férias são férias, não adianta espernear. Lynn olha para ele e sabe que ele está falando sério e que ela não tem nenhuma chance de contradizê-lo. Não quer se expor, mostra a mochila e diz que apenas deu uma passada rápida para se despedir, Heinz sorri aliviado e então Lynn sai do hotel, sem olhar para trás, e vai para casa, onde coloca a mochila num canto e se deixa cair na poltrona e não faz nada, fica simplesmente sentada horas a fio e não faz nada, não dá para fazer o tempo voltar, pensa Lynn, ele corre sempre mais, sempre para a frente, na vida só há uma direção, a outra direção é pó. Lynn não tem fome, bebe muita água. A certa altura solta a voz no espaço, baixinho, para si mesma.

– Chiara?

– Sim?

– Sabe o que há de belo na faxina?

– Não.

– É que a sujeira sempre volta.

Quando chega a tarde Lynn não aguenta mais. Ainda na estação ela deixou as passagens caírem num cesto de lixo e ouve de longe, como um eco, a voz de chamada para o voo: *last call for flight DE 4156 to Cancun. Please proceed immediately to gate B 43. Last call for passengers Zapatek and Bartholdy.*

Lynn toma o trem.

Depois de quatro horas está na estação de sua cidade natal.

Na casa de sua mãe há luzes acesas.

Na porta está colada a placa de massa feita por ela mesma, nos tempos de jardim da infância: Linda, Susi e Josef Zapatek. Lynn toca a campainha, a mãe abre a porta. A possibilidade de um abraço fica do lado de fora. Lynn atravessa o corredor que lhe parece estranho, embora pouca coisa tenha mudado. Quando esteve aqui pela última vez? Quando corria de triciclo ao longo do corredor, ela derrubou o vaso de cima do armário dos sapatos e ouviu as palavras: Quantas vezes já não lhe falei? Quando trouxe suas melhores amigas para dormir, ficando de olhos abertos até que eles se fechassem sozinhos? Quando se esgueirou escondida com seu primeiro namorado escada acima? Quando seu pai saiu de casa? Quantos meses ela pensou, será que ele ainda volta? Quando desceu os degraus, a mochila na mão, as lágrimas no rosto da mãe? Quando disse a frase: Não precisa me levar à estação?

– Quer beber alguma coisa?

– Obrigada.

– Café?

– Tão tarde não.

– Água?

– Arrã.

– Espere, eu já volto. Sente-se.

Lynn balança a cabeça. Espera. A mãe volta com um prato de biscoitos.

– Quer que eu cozinhe alguma coisa?

– Não.

– Não está com fome?

– Não sei.

– Quer que eu prepare um lanche?

– Eu como os biscoitos.

Lynn estende a mão para o prato, enfia um biscoito na boca, mastiga, engole a massa seca com um bom gole de água, próximo biscoito, há um rangido silencioso, Lynn pega o terceiro biscoito enquanto a mãe pega o seu primeiro, as mãos não se tocam, mas ficam próximas, as duas se recostam para trás e partem biscoitos em pedaços.

– Eu fiz ontem.

– Estão bons – diz Lynn com a boca cheia.

– Que bom que veio me visitar.

Lynn balança a cabeça.

– Eu fico feliz.

Lynn pega o quarto biscoito.

– Aconteceu alguma coisa? – pergunta a mãe. – Posso fazer alguma coisa por você? Está tudo em ordem? Algo errado com o trabalho? Você está de novo, eu quero dizer, o que houve, Lynn? Você precisa de dinheiro?

– Eu não posso mais.

– Tudo ainda vai se arranjar.

Lynn olha para a mãe.

Então diz:

– Não quero saber de vai, de arranjar, de ainda.

A mãe se cala. Lynn pensa, ela não entende o que eu quero dizer, como posso lhe dizer o que quero dizer, precisaríamos de um tradutor de sentimentos, de alguém que se sentasse entre nós e traduzisse o que eu digo para o mundo dela, e o que ela diz para o meu. Estou aqui e nem eu mesma sei por que estou aqui. Talvez o problema todo seja comigo. O que é que ela pode fazer se eu sou como sou? Talvez ela quisesse uma outra filha. Será isso o que ela não pode me dizer? O que eu não entendo?

– Como vai o coração? – pergunta Lynn.

– Voltou a bater.

– Eletrocardiograma?

– Tudo em ordem, o *bypass* deu certo, a operação foi bem-sucedida. Aliás, *bypass* se escreve com ípsilon. Sempre pensei que se escrevia com *ei*, entende, como *bei*, mas se escreve com ípsilon. É inglês.

– O que você faz o dia todo? – pergunta Lynn.

– Ontem trabalhei no jardim.

– Mas você não deveria fazer esforço.

– Só um pouquinho.

– Quanto tempo ficou lá fora?

– Só duas horas.

– É muito tempo.

– Ora, deixe disso.

– E que mais?

– Fiz crochê.

– O quê?

– Moinhos. Uma toalhinha com motivos de moinho. Quer ver?

Lynn balança a cabeça. A mãe se levanta, sai da sala e volta com a toalhinha.

– Ainda não está pronta.

Lynn se levanta um pouco da poltrona e pega mais um biscoito. Desta vez mantém a mão sob o queixo para não deixar cair as migalhas.

– Aqui está o moinho.

– Arrã.

– Quatro pás. A porta. Duas janelas. Aqui.

– Para quem você está fazendo isso?

– Para a sra. Klöppels.

– Presente de aniversário?

– Ela vai fazer noventa anos.

– Ela que pediu a toalhinha?

– Algo de crochê.

– Os biscoitos estão uma delícia.

– Desde criança você gostava deles.

– Eu sei.

– Você sempre beliscou a massa.

– Arrã.

– Tanto que até passava mal.

– Arrã.

Lynn come o próximo biscoito. Agora não para mais de comer. Vê o prato diante de si e conta mentalmente os biscoitos que ainda há nele. Vou comer todos, pensa Lynn, vou acabar com eles, vou enfiá-los dentro de mim até que não sobre mais nenhum, todos comidos, e agora ela não faz mais nenhuma pausa entre os biscoitos, come um biscoito atrás do outro, sempre com goles de água.

– E no hotel? – pergunta a mãe.

– Arrã.

– Tudo em ordem?

– Arrã.

– Seu chefe está satisfeito?

– Mãe.

– Sim?

– Eu sou uma outra...

– O quê?

– Eu sou uma outra pessoa, diferente do que você pensa.

A mãe olha ao redor e esfrega as mãos nas coxas. Leva o corpo para a frente, como se fosse se levantar, mas permanece sentada. Tira o prato vazio da mesa.

– Quer mais biscoitos, Linda?

Lynn balança a cabeça. Só agora a mãe se levanta e volta depois de um momento com mais biscoitos.

– Quando é o aniversário da sra. Klöppels? – pergunta Lynn.

– Daqui a três dias.

– Você termina a toalhinha até lá?

– Sim, com certeza.

– Ela ainda mora na Kurzeneckstrasse?

– Não, ela foi para um asilo de idosos.

– Quando?

– Há alguns meses.

– Eu não sabia.

– Ela não conseguia mais fazer as coisas sozinha.

– Ela não conseguia mais fazer as coisas sozinha – repete Lynn baixinho.

– Até para se vestir precisava de ajuda.

– Como uma criancinha.

– Eu sempre digo, Frau Klöppels, se a senhora não ficar que nem uma criança...

Lynn boceja.

– Mas são só dez horas – diz a mãe.

– Estou com dor de cabeça.

– Sempre que você vem para cá tem dor de cabeça.

– Eu não venho tantas vezes assim.

– Talvez seja algo com a casa. Poeira, mofo, umidade no porão? Quando era criança você não tinha isso.

– Não faço ideia.

Lynn permanece sentada, como se estivesse paralisada.

– Amanhã – diz a mãe – eu preciso ir para o jardim e arrumar os canteiros entre a garagem e a porta marrom.

Lynn balança a cabeça.

– Eles precisam ser reforçados para o inverno, as flores antigas saem e no lugar delas entram éricas, e entre as éricas, amores-perfeitos. Em maio os amores-perfeitos saem de novo, mas agora eles entram, no meio das éricas.

Lynn se cala por um momento. Não olha para a mãe. Não bebe mais nada, não come mais nada, não pensa em mais nada.

– As éricas saem de novo já em maio.

Lynn observa o vaivém do relógio de pêndulo.

– Preciso proteger as roseiras. Vou colocar ramos de pinheiro sobre a terra. Para as raízes não congelarem.

– Acho que vou subindo – diz Lynn e se levanta.

– Vou arrumar a cama para você – diz a mãe.

– É só me dar a roupa de cama.

– De jeito nenhum, eu vou arrumar a cama para você.

Elas sobem juntas a escada. Mil vezes subir e descer com mochila e lancheira. Mil vezes o caminho eternamente igual para a escola. Mil vezes o caminho de volta eternamente igual. Como suas pernas sabiam para onde ir? Por que não escolheram outro caminho? De onde sabiam sobre isso que se chama lar? Por que as pernas não se viraram simplesmente para a esquerda? Para qualquer lugar. Para qualquer outra casa. Para uma gente qualquer? A mãe arruma a cama. Lynn fica ao lado e observa. Seu quarto ainda é o seu quarto. Não é usado para nada mais. Está lá apenas para dizer um dia eu fui o seu quarto.

– Eu ainda não estou com sono – diz a mãe.

– Vai assistir a alguma coisa ainda? – pergunta Lynn.

– Sim.

– O quê?

– Um *talk show*.

– A esta hora?

– Com Frank Elstner.

– A que horas começa?

– Às dez e vinte.

– E o que você vai fazer até lá?

– Arrumar a sala.

– Mas ela está arrumada.

– Ah! Procurando a gente sempre encontra algo a fazer.

– Boa noite, mãe.

– Boa noite, *Lynn*.

A mãe desce as escadas enquanto Lynn a acompanha com os olhos e fica ali parada por um momento, em silêncio. Então ela põe a mochila em cima da cama recém-arrumada, desempacota seus utensílios de higiene, vai para o banheiro do andar de cima, escova os dentes, coloca o pijama, meias de dormir: pijama rosa, meias amarelo berrante. Lynn puxa a colcha, senta-se, fica apenas ali sentada e não faz nada. Quando quer se deitar na cama, para. Ouve. Algo no quarto não está certo, não está em ordem, algo a incomoda, é um zumbido, é o tique-taque do despertador, não, não é um ruído exterior, vem de dentro, está no seu ouvido e no seu peito, ela não sabe, e Lynn sai do quarto sozinha na escuridão e se esgueira novamente escada abaixo e evita o sétimo e o décimo degrau, pois sabe que eles rangem, mas o décimo segundo degrau também range, isto é novidade, Lynn para, mas a mãe não ouviu nada, Lynn continua, se ajoelha diante da porta da sala, olha pelo buraco da fechadura, vê a mãe, que assiste à tevê, vê os olhos da mãe, que não prestam atenção ao que vem da tela, Lynn atravessa o corredor e abre a porta do quarto de dormir dos pais, que há muito não é mais o quarto de dormir dos pais, apenas o quarto de dormir da mãe, um quarto de dormir no qual apenas se dorme, Lynn deixa a luz apagada, não quer ver que nada mudou, o cheiro lhe basta, um pouquinho de água-de-colônia, um pouquinho de pó da grossa colcha e das cortinas das janelas, um pouquinho de podridão, da umidade que vem do porão, Lynn sente frio, pensa, talvez eu devesse ter vestido meu casaco, mas agora é tarde demais: não quer subir mais uma vez para o andar de cima, passar pela sala, pelos degraus que rangem.

Lynn se deita no chão e desliza para baixo da cama. Espirra. Suas pálpebras não se fecham. Então espera, as mãos no estrado.

IMPRESSÃO:

GRÁFICA EDITORA
Pallotti
IMAGEM DE QUALIDADE

Santa Maria - RS - Fone/Fax: (55) 3220.4500
www.pallotti.com.br